Practice and Testing

LISTENING COMPREHENSION
SPEAKING
READING COMPREHENSION
WRITING

Stephen L. Levy

Head, Foreign Language Department
Roslyn (New York) Public Schools

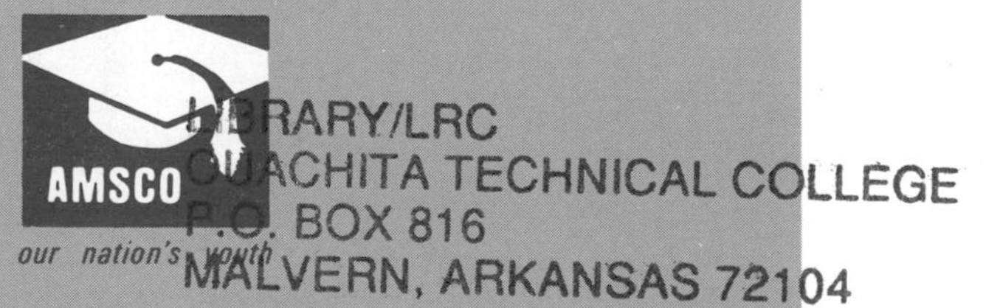

AMSCO SCHOOL PUBLICATIONS, INC.
315 Hudson Street / New York, N.Y. 10013

A mi querido . . .
tvb,
S.

When ordering this book, please specify:
either
N 403 P
or
SPANISH COMPREHENSIVE PRACTICE AND TESTING

ISBN 0-87720-524-8

PRINTED IN THE UNITED STATES OF AMERICA

Preface

SPANISH COMPREHENSIVE PRACTICE AND TESTING is designed to help students develop and demonstrate their knowledge and mastery of Spanish through a variety of listening, speaking, reading, and writing exercises. For teachers, this book contains supplementary materials that can be used in the development and evaluation of these four skills.

The variety of materials for each skill affords the teacher a wide selection for practice and testing. Passages may be individualized in keeping with the proficiency levels of the students and in developing each student's listening, speaking, reading, and writing skill by assigning different passages to different students. The book also satisfies the intent and scope of the current New York State comprehensive Regents examination.

The passages in this text are grouped by skill (listening, speaking, reading, writing) and are arranged in ascending order of difficulty. The scope of the vocabulary and structures is broad enough to help students increase their active and passive vocabularies in Spanish as well as improve their level of listening and reading comprehension and their ability to write coherently. The simulated materials for speaking are also eminently suitable for audiolingual practice and testing. Throughout the book, the themes and vocabulary deal with contemporary life in Hispanic countries and with current issues.

Some practice materials may appear to be more difficult than those encountered in a formal comprehensive test. This somewhat higher gradation is designed to intensify the preparation by students and familiarize them with the variety of test items that are currently used. The basic purpose of this book is to challenge students in order to bring them to their highest level of excellence in preparation and performance.

A *Teacher's Manual and Key* that includes dictation materials, sample responses, and a complete answer key is available separately.

Contents

Part 1
Listening Comprehension **1**

Part 2
Simulated Speaking **14**

2a. *Connected Dialogs* 14
2b. *Situations* 20

Part 3
Reading Comprehension **23**

3a. *Long Passages* 23
3b. *Short Passages* 36
3c. *Slot Completion* 44

Part 4
Writing **57**

Topic Group A 57
Topic Group B 68

Vocabulary **79**

Part 1
Listening Comprehension

Listen to your teacher read twice in succession a question and passage in Spanish. Then the teacher will pause while you write, in the space provided, the *number* of the best suggested answer to the question. Base your answer on the content of the passage only.

1 ¿Cuál es el motivo de esta felicitación? ________

1. El señor celebra su cumpleaños.
2. Cumple otro año en la misma compañía.
3. Es el aniversario de su matrimonio.
4. Hace un año fue elegido para su puesto actual.

2 ¿Qué se debe hacer para ganar este concurso? ________

1. Crear una obra de arte que exalte al libertador venezolano.
2. Ejecutar un plan de guerra como lo hizo Bolívar.
3. Escribir un ensayo sobre la vida del ilustre venezolano.
4. Sugerir unos actos de homenaje que se puedan ofrecer.

3 ¿Cómo logró la señorita este título? ________

1. Por medio de una competencia.
2. Por los reportes de sus jefes.
3. Por los años de trabajo en la misma compañía.
4. Por ser una secretaria privada en la Cámara de Industria.

4 ¿En qué se basa la decisión del director del zoológico? ________

1. En que la víctima salió ilesa de la jaula.
2. En que el oso polar actuó naturalmente.
3. En que el oso polar es un animal muy valioso.
4. En que el oso había amenazado al hombre en otra ocasión.

5 ¿Cómo van a mantener el precio del petróleo? ________

1. Van a vender el petróleo sólo a los países occidentales.
2. Van a reducir el tamaño de los barriles.
3. Van a discutir el problema con los árabes.
4. Van a producir más petróleo.

6 ¿Qué noticia es ésta? ________

1. Una pintura famosa ha sido transferida al país natal de su pintor.
2. El público madrileño admira el bombardeo nazi.
3. Picasso pasó la guerra civil española en la ciudad de Guernica.
4. El Museo de Arte Moderno va a exhibir un cuadro ilustre.

7 ¿Qué clase de regalo se ha hecho popular? ________

1. Los regalos tradicionales.
2. Algo hecho por la persona misma.
3. Algo de uso personal.
4. Las felicitaciones y un abrazo efusivo.

8 ¿Qué anuncia la llegada de la primavera según este párrafo? ________

1. Los colores variados del cielo.
2. La abundancia de los frutos de la naturaleza.
3. Las canciones de los pájaros.
4. Los cambios de color en las casas y oficinas.

9 ¿Por qué es bueno este aparato para las personas que están a dieta? ________

1. La comida se prepara rápidamente.
2. Los platos nunca salen muy calientes.
3. La olla evita el uso de aceite.
4. Los alimentos se sirven en forma de jugo.

10 ¿Qué aconsejan estos médicos? ________

1. El abrazo maternal asegura la estabilidad emocional del niño.
2. Las madres deben ser abrazadas después de dar a luz.
3. Los recién nacidos deben ser abrazados por las enfermeras.
4. El primer contacto después de nacer determina la suerte del niño.

11 ¿Por qué es importante el agua según este párrafo? ________

1. El agua nos purifica el cuerpo interna y externamente.
2. Es la bebida más barata que podemos tomar.
3. El agua sirve sólo para embellecernos.
4. Lleva muchas toxinas que nos ayudan a mantener el peso.

12 ¿Cómo se debe cuidar las plantas caseras? ________

1. Pasar muchas horas podándolas.
2. Echar mucha agua en las macetas.
3. Ponerlas al aire libre cuando llueve.
4. Regarlas de una forma que parece lluvia.

13 ¿Qué tiempo hará en los próximos días? ________

1. Un calor bochornoso.
2. Días calurosos y noches frías.
3. Tiempo agradable con posibilidad de aguaceros.
4. Cielos nublados que amenazan lluvias fuertes.

14 ¿Por qué rehusó la oferta el futbolista? ________

1. Prefería sobresalir en los deportes.
2. Quería más dinero.
3. Exigía un contrato de larga duración.
4. Temía perder a su novia.

15 ¿Qué representa Sao Paulo? ________

1. El corazón de la jungla.
2. La sociedad avanzada de los brasileños.
3. Lo misterioso del Brasil.
4. La capital de la república brasileña.

16 ¿Qué novedad es ésta? ________

1. Un reloj práctico y barato.
2. Un reloj que también tiene televisión.
3. Un reloj que usa tubos para dar la hora.
4. Un reloj que da la hora con imágenes japonesas.

17 ¿Por qué tiene miedo de conducir esta persona? ________

1. Es muy tímida.
2. Nunca sale a las horas pico.
3. La manera de conducir de la gente es peligrosa.
4. La manejada es una pérdida de tiempo para ella.

18 ¿Por qué se paralizó el tráfico? ________

1. Los semáforos se apagaron por la falta de luz.
2. Todo el mundo iba al teatro para la función vespertina.
3. Todos los empleados del Hospital Central regresaron a casa.
4. Los 120 municipios convergieron en el centro de la ciudad.

19 ¿Qué hizo este grupo musical durante el verano? ________

1. Dio conciertos en todos los centros del país.
2. Vendió más discos que otros grupos.
3. Visitó a muchas ciudades en el extranjero.
4. Reveló sus planes para el año próximo.

20 ¿A qué se debe el aumento de precio de los cosméticos? ________

1. A su popularidad.
2. A su escasez.
3. Al deseo de lucir.
4. Al costo de las sustancias químicas.

21 ¿Qué pone en peligro la dieta que uno sigue? ________

1. Comer fuera de la casa.
2. Tomar la comida lentamente.
3. Salir de un restaurante con hambre.
4. Pedir un plato ligero.

22 ¿Por qué se siente orgulloso el Banco de Bilbao? ________

1. Otros bancos ofrecen ahora los mismos servicios que ellos.
2. Los demás bancos ofrecen la Tarjeta del Banco de Bilbao.
3. Su tarjeta de crédito es la que más se usa en el país.
4. Han duplicado el número de tarjetas de crédito que ofrecen.

23 ¿Qué ha logrado Juan Carlos Romero? ________

1. Terminó su contrato con Discos Mundiales.
2. Grabó una canción que es popularísima.
3. Fracasó con su último disco.
4. Canceló un concierto especial.

24 ¿Por qué es popular este estilo? ________

1. Es fácil de mantener.
2. Requiere la atención de los peluqueros.
3. Es el corte preferido de la juventud.
4. Hay que limpiarlo con frecuencia.

25 ¿Qué piensa hacer esta persona con su aguinaldo? ________

1. Gastarlo agasajando a sus familiares.
2. Apartar una porción y meterla al banco.
3. Invertirlo en un pasatiempo frívolo
4. Comprar la felicidad.

26 ¿Quiénes prefieren esta clase de vacaciones? ________

1. Los aficionados a los deportes de invierno.
2. Los partidarios del tiempo cálido.
3. Los turistas que hacen su primer viaje.
4. Los viajeros que buscan gangas.

27 ¿A qué se debe el aumento de turistas que visitan a Cuba? ________

1. A las buenas relaciones entre los Estados Unidos y Cuba.
2. A la frecuencia de los vuelos.
3. Al desarrollo de paseos dentro de la isla.
4. A una promoción especial y precios económicos.

28 ¿Cuál es el propósito del Gobierno? ________

1. Investigar las penas de los criminales.
2. Proteger a los compradores.
3. Aumentar la inflación en el país.
4. Vender gasolina adulterada.

29 ¿Por qué valen mucho los diamantes de un quilate? ________

1. Porque son escasos.
2. Porque todos son perfectos.
3. Porque son muy populares con las señoras.
4. Porque los más pequeños no duran mucho tiempo.

30 ¿Qué debe hacerse para conseguir el ambiente de la primavera durante todo el año? ________

1. Cultivar flores en las calles.
2. Plantar árboles cerca del asfalto.
3. Decorar el interior de la casa con plantas.
4. Vivir al aire libre.

31 ¿A qué se debió la demora? ________

1. El matrimonio se olvidó de hacer la solicitud.
2. La compañía de luz cometió un error.
3. Les faltó el dinero requerido.
4. La pareja dejó la granja por muchos años.

32 ¿Qué lograron hacer los empleados? ________

1. Comer a las tres de la tarde.
2. Extender su hora de comer.
3. Ir de compras antes de comer.
4. Servir la comida a los jefes.

33 ¿Qué es importante recordar según este párrafo? ________

1. Los niños son incapaces de enamorarse.
2. Sólo los niños pueden conocer el verdadero amor.
3. Todo el mundo disfruta del amor según la edad que tiene.
4. El primer amor es una ilusión que perdura mucho tiempo.

34 ¿Qué piensa hacer el gobierno con estos ingresos? ________

1. Abrir nuevas minas.
2. Mejorar las condiciones del país.
3. Darlos a unos pocos influyentes.
4. Exportar el oro a más países.

35 ¿A qué se debe el cambio notado en la cocina actual? ________

1. Sólo se usa la cocina para preparar las comidas.
2. Los arquitectos han puesto la cocina en una parte oscura de la casa.
3. El diseño y modo de decorar la cocina han mejorado.
4. Es la parte de la casa donde el ama de casa pasa muchísimo tiempo.

36 ¿Qué hay que hacer para aprovecharse de esta oferta? ________

1. Modelar la ropa de último diseño.
2. Distribuir el catálogo cada vez que sale.
3. Hacer que sus amistades envíen la tarjeta.
4. Vender los productos que ofrece esta empresa.

37 ¿Por qué va tanta gente a Santiago? ________

1. Es un buen sitio para descansar.
2. Desean observar sus tesoros artísticos.
3. Hace el viaje como una demostración de fe.
4. Desean gozar de las diversiones de Galicia.

38 ¿Por qué no cumplió el piloto con su misión? ________

1. Un avión DC-8 le impedía el paso.
2. Se destruyó el avión al despegar otro avión.
3. Hubo una explosión en el motor del avión pequeño.
4. Había demasiado tráfico en la pista.

39 ¿Qué se ofrece en este anuncio? ________

1. La sensación de románticos jardines tropicales en su propia casa.
2. Unas vacaciones lujosas y memorables a precio muy rebajado.
3. La práctica de muchos deportes al lado de profesionalistas.
4. Una sorpresa para los huéspedes que se quedan siete días.

40 ¿Qué se nota de la vida actual de las mujeres? ________

1. Es más difícil que la de sus antepasadas.
2. Está repleta de muchas inconvenencias.
3. Pierden más tiempo tratando de hacerse más bellas.
4. Gastan tiempo y energía en quehaceres innecesarios.

41 ¿De qué se queja el que hace el comentario? ________

1. De la anulación de los programas a favor de los deportes.
2. De la retransmisión de películas populares.
3. De la difusión de obras maestras en la pequeña pantalla.
4. De la competencia entre las dos cadenas televisores.

42 ¿Quién debe responder a este anuncio? ________

1. El que desea comprar un televisor.
2. El que quiere aprender más sobre el vídeo.
3. El que busca empleo inmediato en un estudio de televisión.
4. El que tiene experiencia en la enseñanza de la filmación.

43 ¿Por qué va a haber una huelga en el hospital clínico? ________

1. Los trabajadores están descontentos de los servicios que ofrecen a los enfermos.
2. Los directores redujeron el número de trabajadores durante la temporada de las vacaciones.
3. Negaron pagarles el aumento que ganaron en el último contrato.
4. Les quitaron a los empleados la oportunidad de trabajar horas extraordinarias.

44 ¿Cómo ayudó la policía en esta circunstancia? ________

1. Llevó las botas de los jugadores al estadio.
2. Fue árbitro en una disputa entre los futbolistas belgas y argentinos.
3. Solicitó por radio la ayuda de los empleados del hotel.
4. Pidió otro carro cuando el de los jugadores belgas chocó.

45 ¿Qué pueden hacer los prisioneros de esta cárcel? ________

1. Jugar fútbol y luego verse en la televisión.
2. Practicar las jugadas más elaboradas del fútbol.
3. Grabar los partidos del campeonato y volver a verlos.
4. Instalar un vídeo en sus propias celdas.

46 ¿Cuál fue la causa de la explosión? ________

1. Alguien echó una bomba.
2. Una bombona de gas funcionó mal.
3. Un encendedor de butano causó la explosión.
4. Los tres niños jugaban con la estufa.

47 ¿Qué causó esta epidemia? ________

1. La escasez de agua potable en las cinco localidades.
2. Un error que cometió el responsable de Sanidad.
3. Un obstáculo que pusieron las autoridades sanitarias.
4. La contaminación de las aguas del nuevo abastecimiento.

48 ¿Qué novedad es ésta? ________

1. Un avión que lleva una carga de 72 kilos.
2. Una miniatura aérea eficaz y económica.
3. Un aeroplano que puede volar 100 kilómetros sin cargar gasolina.
4. Un miniavión que consume cuatro litros de gasolina por cada tres metros que vuela.

49 ¿Qué problema expone esta noticia? ________

1. La dificultad de pasar las fronteras.
2. La escasez de trabajadores en sus países de origen.
3. La migración excesiva de gente en busca de trabajo.
4. La separación de los trabajadores de sus familiares.

50 ¿De que son culpables los estados del territorio central? ________

1. De causar la contaminación del Océano Pacífico.
2. De contribuir a la contaminación del aire de los estados del este.
3. De asegurar la dirección en que se escapan los vapores químicos.
4. De cambiar el modo de girar la Tierra.

51 ¿De qué tratará este programa especial? ________

1. De los métodos modernos de disminuir la población mundial.
2. De la representación de la población en un congreso mundial.
3. Del número actual y estimado de habitantes del mundo.
4. Del mejoramiento del nivel de vida en todos los países.

52 ¿Por qué fue dura esta prueba? ________

1. Se hizo en la obscuridad de la noche.
2. Los equipos portátiles de iluminación funcionaron mal.
3. Se terminó la prueba en un día.
4. Se le rompió una pierna en el último salto.

53 ¿Por qué se ha iniciado este nuevo programa? ________

1. Para aumentar el número de maestros en el país.
2. Para equilibrar la cantidad de automóviles que hay.
3. Para asegurar que la población entera puede leer y escribir.
4. Para instalar más teléfonos durante el año próximo.

54 ¿Cuál es la ventaja de comprar las entradas en estas taquillas? ________

1. Venden los boletos a mitad de precio.
2. Siempre hay entradas para todas las atracciones.
3. Ofrecen los mejores asientos en los teatros.
4. Hacen un donativo al Fondo Pro-Desarrollo del Teatro.

55 ¿Qué han logrado hacer en el Valle del Sol? ________

1. Construir un monumento que es un éxito de la ingeniería.
2. Instalar una fábrica con un sistema hidráulico.
3. Plantar árboles que no podían crecer en el desierto.
4. Crear un mar artificial con olas.

56 ¿Qué le paso al uso del sombrero? ________

1. Dejó de usarse para ofrecerle sombra a la persona que lo llevaba.
2. Perdió su valor absurdo de adornar.
3. Se prohibió su uso en las ceremonias oficiales.
4. Se hizo tan intrincado que desapareció como accesorio.

57 ¿Por qué son lamentables las intoxicaciones de los niños? ________

1. Porque la medicina moderna es incapaz de ayudarlos.
2. Porque se pueden evitar si uno toma precauciones.
3. Porque la previsión no las impide.
4. Porque estos accidentes son resultado de la ciencia.

58 ¿Qué van a hacer para eliminar la congestión en el aeropuerto? ________

1. Construir otros aeropuertos internacionales en tres ciudades de México.
2. Mantener los aviones en distintas partes del país.
3. Cancelar vuelos para evitar demoras.
4. Estacionar las naves de la flota en pistas cerca del aeropuerto

59 ¿Quiénes recibirán estos premios? ________

1. Los que han traducido mejor las obras de Fray Luis de León.
2. Los que han traducido las mejores obras españolas al alemán.
3. Los que han traducido obras originariamente escritas en otros idiomas.
4. Los que han traducido una obra castellana a otra lengua románica.

60 ¿Cuál fue el propósito de la visita de los comerciantes israelíes a la América Latina? ________

1. Querían comprar armas de guerra.
2. Buscaban nuevos mercados para sus productos.
3. Firmaron unos contratos de apoyo mutuo militar.
4. Verificaron los requerimientos de los negocios norteamericanos.

61 ¿De qué ha servido el arte en la América Latina? ________

1. Ha metido al artista en la vida política que anhelaba.
2. Ha representado gráficamente el progreso del país bajo el gobierno actual.
3. Ha ayudado a los políticos a ganarse votos.
4. Ha sido un portavoz de los males políticos y sociales.

62 ¿Qué sugiere este anuncio? ________

1. Que el niño use la ropa de su papá.
2. Que el niño se lave la boca con un instrumento adecuado.
3. Que un cepillo dental para adultos también pueda servir para un niño.
4. Que los niños se aprovechen de todas las novedades en las tiendas.

63 ¿Qué temen las autoridades soviéticas? ________

1. Una sublevación de los obreros si cierran las tiendas de licores.
2. Un aumento de accidentes dentro de la zona de trabajo causado por el alcoholismo.
3. La apertura de más negocios que contribuyan al alcoholismo.
4. Los daños físicos y económicos que causan el vicio de trabajar borracho.

64 ¿Qué noticia es ésta? ________

1. Hoy se clausuran las clases en todo el país.
2. Ya han terminado las vacaciones de diciembre.
3. Los alumnos de los diferentes niveles siguen calendarios diferentes.
4. Han cambiado las fechas del calendario escolar.

65 ¿A qué se debe el éxito del hombre de negocios? ________

1. A su habilidad de mandar.
2. Al respeto de sus empleados.
3. A su manera de comunicarse con el personal.
4. A desconocer las quejas del personal.

66 ¿Qué descubrió este médico italiano? ________

1. Los futbolistas padecen del corazón.
2. Jugar fútbol es bueno para los cardíacos.
3. Presenciar partidos de fútbol ayuda a los enfermos del corazón.
4. La euforia de los partidos de fútbol causan ataques cardíacos.

67 ¿De qué se preocupan los hombres? ________

1. Del derroche del agua por los países menos desarrollados.
2. De la disponibilidad del agua para todo el mundo.
3. De las sequías que ocurren en los países ricos.
4. De las inundaciones trágicas y frecuentes.

68 ¿Qué pasó en este concierto? ________

1. Interrumpieron el concierto para ver un partido.
2. El conductor salió para jugar fútbol.
3. Un partido de fútbol siguió el ritmo de la música.
4. El concierto tuvo lugar en el estadio de fútbol.

69 ¿Qué pasó en el Banco Nacional? ________

1. El nuevo gerente robó cuatro millones de pesos.
2. El traspaso de la gerencia tardó mucho tiempo.
3. No pudieron abrir la puerta porque la chapa estaba rota.
4. Un cajero trató de sacar mucho dinero ilegalmente.

70 ¿A qué se debe la rapidez con que entregan los paquetes ahora? ______

1. A la eficacia de los mensajeros.
2. Al cambio de hora entre Nueva York y París.
3. Al uso de los medios de transporte más veloces.
4. A la garantía que las compañías ofrecen a sus clientes.

71 ¿Por qué hubo esta demostración en el Parque de Bolívar? ______

1. Los empleados de la universidad buscan un aumento de sueldo.
2. Los estudiantes temen una situación peligrosa que existe allí.
3. Desean llamar la atención a los problemas económicos de la universidad.
4. Se quejan porque cancelaron las clases por cuarenta y ocho horas.

72 ¿Qué se logró por medio de la invención del transistor? ______

1. Se resucitó la popularidad de la radio.
2. Los televisores bajaron de precio.
3. Millones de personas dejaron de comunicarse.
4. Se crearon más emisoras de radio.

73 ¿Qué aconseja el presidente de esta asociación? ______

1. Vender los productos mediocres dentro del país.
2. Buscar nuevos mercados internacionales.
3. Disminuir los ingresos que produce la exportación.
4. Fabricar productos de mejor calidad.

74 ¿Qué se describe aquí? ______

1. Las ventajas que ofrece una escuela nueva.
2. Los requisitos de los profesores de este colegio.
3. El plan escolar que aconseja el gobierno.
4. El diseño de una institución educativa tradicional.

75 ¿Por qué se debe comprar este calendario? ______

1. Por ser usado por gente famosa.
2. Por ser una antigüedad del siglo pasado.
3. Por su utilidad y belleza.
4. Por sus características británicas.

Part 2
Simulated Speaking

2a. Connected Dialogs

Listen to your teacher read aloud twice in succession the setting of a dialog in Spanish. Then the teacher will read aloud twice a line of the dialog. Immediately after the second reading of each line of the dialog in Spanish, you will hear instructions in English telling you how to respond in Spanish. The same instructions are printed below. The teacher will then pause while you write an appropriate response in Spanish in the space provided.

Sentence fragments as well as complete sentences are acceptable, but only if they are in keeping with the instructions. Numerals are not acceptable. If the response to the dialog line includes a date, time, amount of money, number, and the like, write out the number.

The instructions for responding to dialog lines are as follows:

DIALOG 1

1. Tell what it is.

____

2. Tell when.

____

3. Tell what it is.

____

4. Tell how many.

____

5. Give your reaction.

____

DIALOG 2

1. Tell why.

____

2. Tell which one.

____

3. Tell who.

____

4. Explain it.

____

5. Give your reaction.

____

DIALOG 3

1. Tell where.

____

2. Tell when.

____

3. Tell what.

____

4. Describe it.

____

5. Give your reaction.

____

DIALOG 4

1. Tell what.

____

2. Tell when.

____

3. Tell where.

____

4. Tell what.

____

5. Give your reaction.

____

DIALOG 5

1. Give your reaction.

____

2. Tell how long.

___

3. Tell what it is.

___

4. Tell what they are.

___

5. Give your reaction.

___

DIALOG 6

1. Tell where.

___

2. Tell how much.

___

3. Tell how long.

___

4. Tell until when.

___

5. Give your reaction.

___

DIALOG 7

1. Tell what you want.

___

2. Tell how many.

___

3. Tell where.

___

4. Tell when.

___

5. Give your reaction.

___

DIALOG 8

1. Give your reaction.

___

2. Tell your preference.

___

3. Suggest one.

___

4. Tell when.

___

5. Suggest something.

___

DIALOG 9

1. Tell which type.

   ____

2. Tell how much.

   ____

3. Give your reaction.

   ____

4. Indicate your preference.

   ____

5. Give your reaction.

   ____

DIALOG 10

1. Tell which one.

   ____

2. Tell when.

   ____

3. Tell why.

   ____

4. Tell which.

   ____

5. Tell with whom.

   ____

2b. Situations

Listen to your teacher read twice in succession a situation in Spanish. Then the teacher will pause while you write an appropriate response to the situation in the spaces provided. Assume that in each situation you are speaking with persons who speak Spanish.

Sentence fragments as well as complete sentences, questions, or commands in Spanish are acceptable, but only if they are in keeping with the situation. Numerals are not acceptable. If the response includes a date, time, amount of money, number, or the like, write out the number. Each response may be used only once.

1. ______
2. ______
3. ______
4. ______
5. ______
6. ______
7. ______
8. ______
9. ______
10. ______
11. ______
12. ______
13. ______
14. ______
15. ______

16. ______

17. ______

18. ______

19. ______

20. ______

21. ______

22. ______

23. ______

24. ______

25. ______

26. ______

27. ______

28. ______

29. ______

30. ______

31. ______

32. ______

33. ______

34. ______

35. ______

36. ______

37. ______

38. ______________________________

39. ______________________________

40. ______________________________

41. ______________________________

42. ______________________________

43. ______________________________

44. ______________________________

45. ______________________________

46. ______________________________

47. ______________________________

48. ______________________________

49. ______________________________

50. ______________________________

Part 3
Reading Comprehension

3a. Long Passages

Read each of the following passages. After each passage, there are five questions or incomplete statements. For each, choose the expression that best answers the question or best completes the statement *according to the meaning of the passage* and write its *number* in the space provided.

1 Después de muchos años María volvió al pueblo en que había nacido. Durante los largos años que había estado ausente de ese pueblo tan tranquilo y pintoresco, recordaba con frecuencia y echaba de menos los momentos felices que había pasado tan contenta dentro de su hogar y con sus amigas de la juventud. Y ahora se daba cuenta de que los años habían pasado rápidamente—como un relámpago.

Pensaba a menudo en los cambios de estación dentro de su pueblo. Cada cambio traía su propia tradición. Recordaba en particular a su primer novio, Ricardo. Ese joven que era tan guapo con su pelo oscuro y sus ojos claros como el cielo. Qué feliz se sentía ella cuando salía con él y ella podía ver las miradas de celos y envidia crecer en los ojos de las otras chicas. ¿Qué habrá sido de él?—se preguntaba a veces.

Este viaje a casa, más bien al pasado, no tuvo el resultado que esperaba. Quería volver a vivir sus días juveniles y admirar los lugares con los mismos ojos con que los había mirado por primera vez hace muchos años. Pero ahora, al visitar estos lugares y al mirar estas vistas que creía conocer tan a fondo, se sentía extraña, una sensación de estar en un lugar totalmente desconocido y lejano, no sólo por los años transcurridos sino por los cambios físicos.—¡Qué cruel es el tiempo!—pensaba ella.

1. María regresó a su pueblo natal ________

    1. para ver a sus amigas y parientes.
    2. porque allí se encontraba contentísima.
    3. después de una tormenta terrible.
    4. al final de un largo período de años.

2. ¿De qué se dio cuenta María? ________

   1. De la tranquilidad del pueblo.
   2. De la ausencia de sus amistades.
   3. Del pasar rápido de los años.
   4. De la felicidad que reina en el pueblo.

3. Cuando María andaba con Ricardo ella se sentía ________

   1. orgullosa.
   2. celosa.
   3. envidiosa.
   4. triste.

4. ¿Cuál fue el propósito de María al hacer este viaje? ________

   1. Asistir a una de las fiestas tradicionales.
   2. Buscar sus juegos juveniles.
   3. Tratar de vivir el pasado de nuevo.
   4. Encontrar a su novio Ricardo.

5. ¿Qué le pasó a María en el pueblo? ________

   1. No reconoció nada del pasado.
   2. La gente la trató con crueldad.
   3. Perdió la sensación extraña que sentía.
   4. Conoció más a fondo sus lugares favoritos.

2 Durante las últimas vacaciones que pasó Rosa en Sevilla en compañía de una prima española, visitó un famoso tablao flamenco. Al entrar allí se dio cuenta de que era un lugar muy popular y vivo al que acudían tanto los sevillanos como los turistas de todas partes del mundo para escuchar a los guitarristas y cantadores y mirar los bailadores del flamenco.

Sentaron a las dos señoritas en una mesa que tenía cuatro plazas. No pasó mucho tiempo y sentaron a dos señores allí con ellas. Los señores les preguntaron a las señoritas qué querían tomar e hicieron el pedido al mesero. Vieron el espectáculo flamenco juntos y compartieron comentarios y risas. Después de terminar el espectáculo ellos salieron juntos y al entrar en la calle, en el momento de despedirse, uno de los señores les preguntó a las señoritas cuál de ellas iba a pagar la cuenta de lo que habían consumido en la mesa. Rosa se sonrió, le preguntó cuánto era y sacó el dinero de su bolsa y se lo dio al señor.

Rosa volvió a su país muy contenta de haber visto un verdadero tablao flamenco y de haber conocido la nueva imagen del caballero español.

1. ¿Por qué había mucha gente en el tablao flamenco? ________

 1. Era una fiesta de despedida para Rosa.
 2. Era famoso por su música y sus bailes.
 3. Los turistas se hospedaban allí.
 4. Muchos artistas del cine iban allí a menudo.

2. ¿Con quiénes compartieron Rosa y su prima la mesa? ________

 1. Con dos guitarristas del espectáculo.
 2. Con dos señores desconocidos.
 3. Con dos amigos que llegaron tarde.
 4. Con dos camareros.

3. Durante el espectáculo las cuatro personas en la mesa ________

 1. hablaron y se rieron.
 2. se callaron.
 3. se enojaron.
 4. bailaron juntos.

4. ¿Qué les pidió uno de los señores? ________

 1. Su número de teléfono.
 2. Cambio de un cheque de viajero.
 3. El nombre de su hotel.
 4. El dinero de la cuenta.

5. Por medio de esta experiencia Rosa ________

 1. decidió no volver a visitar a España.
 2. quiso volver al mismo lugar al día siguiente.
 3. conoció al español moderno.
 4. empezó a estudiar la música flamenca.

3 Desde que tenía pocos años a Jorge siempre le habían fascinado las lanchas. De niño, sus padres y sus abuelos lo llevaban al parque y él pasaba hora tras hora completamente distraído mirando las lanchitas que él y otros niños dejaban flotar en el lago. Este lago de aguas obscuras le parecía un mar resplandeciente que tenía a su otro extremo tierras nuevas y costumbres extrañas. Al soltar el hilo que le unía con la lanchita soñaba con que era marinero y que navegaba a países exóticos. Anhelaba hacerse un verdadero marinero y al ser mayor de edad lo logró. Através de muchos años navegó alrededor del mundo varias veces siendo el capitán de un barco de carga. Conoció esos lugares más lejanos que le habían aparecido cuando su sueño había nacido. Y ahora se encontraba en el mismo lago ayudando e inspirando a su nieto con una lanchita de velas blancas. Mientras miraba el deleite del niño al ver la lanchita deslizarse por una corriente de aire, recordaba los momentos felices y el gran sosiego que sentía bajo el manto de un cielo negro iluminado de estrellas que brillaban como diamantes que se ponían más luminosas por la luz de la luna. —¿Sentirá mi nieto la misma fascinación que yo?— pensaba cuando los gritos cariñosos de su nieto le volvieron a la realidad.

1. ¿A qué era aficionado Jorge? ________

   1. A los deportes.
   2. A los juguetes.
   3. A los buques.
   4. A los parques.

2. Jorge soñaba con ________

   1. ganarse la vida en un trabajo marítimo.
   2. cruzar el océano en un vapor exótico.
   3. ser embajador a países extranjeros.
   4. navegar las lanchas en un lago.

3. ¿Cuándo logró Jorge su sueño? ________

   1. Cuando iba a pasearse con su abuelo.
   2. Cuando se hizo adulto.
   3. Cuando conoció a su nieto.
   4. Cuando jugaba a marinero.

4. El recuerdo de los años que Jorge pasó en el mar le daban mucha ________

   1. tristeza.
   2. soledad.
   3. tranquilidad.
   4. pena.

5. ¿Qué le llamó la atención a Jorge? ________

    1. Le llamó su esposa.
    2. Vio la luz de la luna.
    3. Encontró una piedra preciosa.
    4. Oyó una voz infantil.

4 La conquista de América llevó cosas nuevas y ricas a la cocina europea. Hasta que ocurrió este acontecimiento, no se conocían en España y el resto de Europa el maíz, el tomate, el cacao, la papa, las judías verdes ni los cacahuates o el chocolate. Y al llegar esos productos a Europa, se metieron rápidamente en la cocina diaria de los países y dieron a luz a platos que hoy se les consideran platos nacionales. Un ejemplo de esto es la famosa tortilla española que tiene la papa como ingrediente íntegro. Naturalmente hubo reciprocidad en el descubrimiento de platos que combinan los elementos comestibles de Europa y de la América. A América llegó el cocido español y llegó a ser un plato fundamental en la cocina de muchos países hispanoamericanos. Hay muchísimas variaciones de la empanada española en la América Latina. Varios países como La Argentina, Chile y Bolivia la preparan totalmente al estilo español, rellena de carne, huevo duro, verduras y la aceituna para darle sabor. En Guatemala la empanada cambió y llegó a ser una especie de pastel rellena de crema dulce que se sirve como postre o con el café.

1. ¿Cuál fue uno de los resultados de la conquista de América? ________

    1. La vida del campo se hizo muy popular.
    2. Se creó una nueva gastronomía.
    3. Una sequía arruinó la cosecha de los legumbres.
    4. Se disminuyó la riqueza nacional de los países europeos.

2. ¿Qué se crearon por la introducción de los productos nuevos? ________

    1. Nuevos platos tradicionales.
    2. Mercados al aire libre.
    3. Tiendas nacionales.
    4. Industrias gastronómicas.

3. ¿A qué se debe la fama de la tortilla española? ________

   1. A unos ingredientes misteriosos.
   2. Al comercio entre España y América.
   3. A la mezcla rica de los huevos y la patata.
   4. A la popularidad de la cocina diaria.

4. Hoy en día el cocido español es ________

   1. conocido sólo en España.
   2. un postre que se sirve en Chile.
   3. más rico que en los tiempos pasados.
   4. un plato básico de la cocina latinoamericana.

5. ¿Qué le pasó a la empanada española? ________

   1. Se dejó de hacer por la falta de ingredientes.
   2. Se come con la sopa hoy día.
   3. Conserva su preparación al estilo español.
   4. Cambió su forma según el país en que se prepara.

5 Es algo curioso. Los españoles tienen una frenética obsesión por los horarios. Es una gran contradicción porque España es un país en que cada persona tiene su propia concepción del tiempo que suele ser aproximada y que nunca coincide con la concepción del tiempo de los demás. Sin embargo, todos los aspectos de la vida comunitaria se fijan con unos horarios rígidos y generalmente irracionales que tienen el objetivo de complicar la vida.

La falta de un horario fijo y rígido generalmente produce una reacción de pavor y desolación en el español. Y no importa si el español trabaja por cuenta propia o al servicio del público porque su actitud hacia el horario es la misma—enojar y frustrar al usuario con horarios fijos, complicados y fastidiosos. Es muy común leer letreros en oficinas, tiendas y aún en restaurantes que dicen "entrega y recogida de documentos, de diez a once"; "no se sirven desayunos a partir de las diez y veinte y cuatro". Aún los dueños de los negocios pequeños y familiares torturan a sus clientes con las mismas restricciones de horario. Parece que no les importa perder clientes u oportunidades de ganar dinero porque al guardar el horario, mantienen su honradez.

1. ¿Qué concepción del tiempo existe en España? ________

   1. Hay tantas concepciones como hay habitantes.
   2. La puntualidad es muy importante.
   3. Hay una concepción rígida del tiempo.
   4. Una que coincide con el pensamiento de otros países.

2. ¿Qué suelen hacer los horarios en España? ________

    1. Facilitan la entrega de productos y servicios.
    2. Imponen un gran sentido de organización.
    3. Complican muchísimo la vida de los españoles.
    4. Quitan los elementos irracionales de la vida española.

3. ¿Qué produce la ausencia de un horario fijo? ________

    1. Alegría y libertad.
    2. Una rutina caótica.
    3. Una reacción inesperada.
    4. Un sentido de miedo.

4. ¿Por qué parece que imponen estos horarios rígidos? ________

    1. Quieren mantener la disciplina en la vida.
    2. Desean complicar los negocios.
    3. Protegen los derechos de los trabajadores.
    4. Se satisfacen al frustrarle al usuario.

5. ¿Cómo explican la imposición y el mantenimiento de estos horarios? ________

    1. Es una manera de ganar más dinero.
    2. Los clientes aprecian más a los comerciantes.
    3. Conservan un sentido fuerte de honradez.
    4. Torturan a los dueños de los negocios pequeños.

6 La presencia y la influencia del sistema de vida estadounidense no deja de ser visible en los países latinoamericanos. Recientemente se inauguró un parque de diversiones al estilo de "Disneylandia" en los alrededores de la ciudad de México. Lleva el nombre de "Reino Aventura" y se considera el primer parque de este estilo en la América Latina. Hay numerosos juegos mecánicos que giran permanentemente y evocan gritos nerviosos del público. Además, el parque se divide en varias secciones que se parecen a pueblos pequeños que tienen sus propias características culturales.

Sin embargo, el éxito de este parque de diversiones ha sido objeto de una serie de controversias con respecto a sus construcciones y su semejanza a algunos centros de diversiones de los Estados Unidos. Además, este parque se construyó a elevadísimos costos que representa dinero mexicano mientras que se utilizó tecnología importada.

Los críticos de este novedoso parque creen que simboliza una fuerte influencia de la vida norteamericana en la vida de la clase media mexicana que va a cambiar la identidad nacional de los mexicanos y sus valores culturales.

1. La influencia del modo de vivir norteamericano ________

   1. dejó de afectar a otros países.
   2. es muy evidente en los países de habla española.
   3. se inauguró en los países latinoamericanos.
   4. es muy mecánico en otros países.

2. ¿Qué es el "Reino Aventura"? ________

   1. Un lugar donde la gente puede divertirse.
   2. Una exposición de la tecnología nacional.
   3. El lema de una campaña política.
   4. Un centro especial para las personas nerviosas.

3. ¿Qué representan las numerosas secciones del parque? ________

   1. El diseño actual de la ciudad de México.
   2. Los distintos barrios de la ciudad.
   3. Una variedad de vidas culturales.
   4. Unas ideas de varios arquitectos mexicanos.

4. ¿De qué se queja mucha gente? ________

   1. Del peligro de los juegos mecánicos.
   2. De su similaridad con centros extranjeros.
   3. Del costo elevado de la entrada al parque.
   4. De la mala construcción de los edificios.

5. Según los críticos, ¿qué simboliza este novedoso parque? ________

   1. La influencia positiva del progreso tecnológico.
   2. El apoyo de la clase media mexicana.
   3. La identidad verdadera de los mexicanos.
   4. La pérdida de valores culturales nacionales.

7 En nuestro gran mundo avanzado de la tecnología existen tres grandes medios de comunicación. Son la prensa, la televisión y la radio. Cada uno de estos medios de comunicación tiene sus propias características particulares al ponerse en contacto con un público extensivo, disperso y anónimo. El propósito de cada uno de estos medios de comunicación es de llevar un mensaje a los habitantes del mundo y cada uno lo hace a su manera.

El menos natural de los tres es la prensa porque usa la palabra escrita. Se dice esto porque al reportar algo a su público usan un lenguaje pulido, corregido y revisado. El mismo mensaje pasa de las manos del autor a las del redactor y tiene que ser perfecto antes de llegar a las máquinas de imprimir. La palabra escrita que leemos en los diarios y revistas no dice nada que no quiera decir.

La televisión está al otro extremo porque por medio de color, sonido, imagen y palabra toca todos los sentidos del espectador. El mensaje puede perder su importancia a favor de la manera en que se presenta el mensaje.

En medio de estos dos extremos está la radio. Se concentra sólo en el sonido y es la pura palabra. Es la unión de un par de labios con un par de oídos al otro lado del receptor. Trasciende el espacio porque está igual de cómodo en la casa como en el automóvil. Pide sólo una cosa a su partidario, el deseo de oír sin la intervención de la palabra escrita o la imagen humana o diseñada. Y es este deseo que ha conservado la popularidad y la importancia de la radio como medio de comunicación a pesar de los avances tecnológicos.

1. ¿Para qué sirven la prensa, la televisión y la radio? ________

   1. Para distraer a la gente.
   2. Para informar al público.
   3. Para entretener a las personas.
   4. Para avanzar la sociedad.

2. Según este trozo, ¿qué sabemos de los tres grandes medios de comunicación? ________

   1. Siempre están en competencia.
   2. Dos de estos medios buscan un público anónimo.
   3. Cada uno tiene su propio estilo de comunicar.
   4. Los tres medios tienen características semejantes.

3. Antes de que salga un mensaje por escrito, ________

   1. lo leen en voz alta.
   2. lo traducen a otros idiomas.
   3. lo revisan hasta que sea perfecto.
   4. lo graban en una cinta magnética.

4. ¿Qué desventaja tiene la televisión? ________

   1. Todavía hay personas sin televisores.
   2. La imagen puede resultar ser más importante que la noticia.
   3. Es difícil coordinar los cuatro componentes de la televisión.
   4. Los espectadores tienen que saber el horario de los programas.

5. ¿A qué se debe la popularidad de la radio? ________

   1. A su modo pulido y sofisticado de presentar un mensaje.
   2. A su uso de un solo sentido del hombre.
   3. A la falta de adornos extraordinarios.
   4. Al progreso científico del mundo tecnológico.

8 Se considera el baile un idioma universal y es quizás la más antigua de las artes teatrales. Desde los tiempos más remotos el ser humano ha bailado para expresar sus emociones más profundas. También el baile ha servido para comunicar lo que no se puede expresar con palabras. Y esto se ha hecho para un público individual o colectivo. Los temas de la danza son tan universales como la vida misma. El amor y el odio, la alegría y la tristeza, la acción de gracias y de lamentarse son temas que han sido expresados en la danza por todas las sociedades y culturas del mundo.

La riqueza del baile español no se basa sólo en el baile flamenco que es el baile español más conocido. Cada provincia española tiene muchos bailes diferentes que reflejan la cultura y el espíritu de esa provincia. También los bailes cuentan la historia de un acontecimiento histórico o de una tradición que refleja la vida de la provincia como la cosecha.

Los bailarines son muy importantes para interpretar la tradición que se expresa en la danza. Hay cuatro cualidades importantes para los bailarines. La primera es la imaginación, que necesitan para crear la obra; la segunda es la sensibilidad, que se refleja en lo que escogen para interpretar una historia que sea agradable para los espectadores; la tercera es la fuerza, que se ve en el impacto que crea la danza; y la última es el control o la habilidad de representarla en manera cuidadosa en que lo esencial del espíritu del mensaje es comunicado.

1. ¿Cómo se considera el baile? ________

   1. Es una forma artística muy antigua.
   2. Es una lengua extranjera.
   3. Es una manera de desahogar las emociones.
   4. Más que nada es una actividad colectiva.

2. ¿Qué caracteriza los temas de las danzas? ________

    1. La ideología política del país.
    2. La vida común de las personas.
    3. Las celebraciones históricas.
    4. Los tiempos más remotos.

3. ¿En qué se basa la riqueza del baile español? ________

    1. En la experiencia de sus bailarines.
    2. En la historia rica del país.
    3. En la vida provincial.
    4. En la mezcla del flamenco y lo tradicional.

4. ¿Qué es muy importante para la interpretación de la danza? ________

    1. Los bailadores.
    2. La música.
    3. El escenario.
    4. Los temas.

5. ¿Para qué sirve la característica del control de los bailarines? ________

    1. Ayuda a eliminar las cosas personales de la obra que crea.
    2. Contribuye mucha fuerza para crear un impacto memorable.
    3. Ayuda a incluir sólo lo esencial.
    4. Facilita su trabajo en el foro.

9 En tiempos pasados muchos españoles eran aficionados a todos los juegos de azar y manifestaban esta afición por medio de la lotería nacional. La lotería es dirigida por el gobierno y todo el mundo que juega la lotería tiene ilusión de sacar el premio gordo. Una escena muy común, tanto en España como en otros países de habla española, es oír los gritos de los vendedores de la lotería por las calles de las ciudades y los pueblos. En 1977 despenalizaron el juego en España y desde entonces han surgido otros medios o juegos para hacerse rico por el azar. Se han introducido el bingo, las quinielas y los casinos. Y al hacer una investigación de la popularidad del juego entre los españoles desde que fue legalizado, se nota que el juego más popular o sea en el que la gente ha invertido más pesetas es el bingo. La investigación señala que cada español gastará un promedio de 20.000 pesetas al año en el juego. Este dato indica que la cifra de dinero jugado desde la despenalización del juego se ha multiplicado por siete y se debe en gran parte a la aparición de los bingos y los casinos que ampliaron el modo de jugar de los tradicionales modos de la lotería y las quinielas. También se nota que los habitantes de las ciudades grandes como Madrid y Barcelona salen en los primeros lugares por la cantidad de pesetas jugadas.

1. ¿A qué son aficionados muchos españoles? ________
   1. A leer el resultado de la lotería.
   2. A quitar la lotería nacional.
   3. A los juegos al azar.
   4. A saber el valor del premio gordo.

2. ¿Qué pasó en 1977? ________
   1. Autorizaron los juegos de azar.
   2. Castigaron a los vendedores de la lotería.
   3. Encarcelaron a los jugadores de la lotería.
   4. Prohibieron la venta de la lotería en la calle.

3. ¿Cuál de los juegos prefieren los españoles? ________
   1. La lotería.
   2. El bingo.
   3. Las quinielas.
   4. Los casinos.

4. ¿Qué indica este estudio de los juegos de azar? ________
   1. Les falta ilusión de enriquecerse a los españoles.
   2. Les gusta oír noticias de los premios otorgados.
   3. Cada año los españoles han invertido más dinero en el juego.
   4. Todavía es necesario ampliar los medios de jugar en España.

5. ¿En qué parte del país es más popular el juego? ________
   1. En los metrópolis grandes.
   2. En los pueblos pequeños.
   3. En los lugares donde hay muchos turistas.
   4. En las áreas más pobres del país.

10 Cada país produce objetos que son representativos de su cultura y de su manera de vivir. Estas cosas han creado un negocio en que las artesanías del pueblo han pasado las fronteras de los países en que las producen. Pero hoy esta industria enfrenta problemas gigantescos por la competencia de las industrias más comerciales que se aprovechan de los desarrollos tecnológicos más modernos. La producción de las artesanías se arraiga en la tradición y tiene un gran valor económico y cultural que sirve para proteger y guardar la tradición única del país. Muchos de los artesanos aprendieron el oficio de sus padres quienes lo habían aprendido de sus abuelos. Otros aún lo aprendieron por sí mismos. Se ha dicho que el artesano nace, no se hace y que son y siguen siendo artesanos porque les gusta lo que hacen. Pero dentro del mundo y de la sociedad actuales, los artesanos contemporáneos tienen un enorme problema y conflicto. No están organizados como lo son los choferes de los autobuses o los obreros en la industria automotriz, no saben comercializar o promover sus productos y es difícil para ellos conseguir el crédito necesario para seguir practicando su oficio y a la vez poder cubrir sus necesidades económicas. La América siempre ha sobresalido en la producción de la artesanía que muestra la mezcla mágica e interesante de las culturas españolas e indigenas.

1. ¿Qué refleja los productos que cada país produce? ________

   1. Su vida y cultura.
   2. Su modo de pensar.
   3. Su ingenuidad creativa.
   4. Su visión del mañana.

2. ¿A qué se deben los problemas de la industria de la artesanía? ________

   1. Al progreso tecnológico.
   2. Al cambio de gustos.
   3. A la insistencia en la tradición.
   4. A la falta de mercados.

3. Los artesanos aprendieron su oficio ________

   1. en una escuela especial.
   2. por un curso de correspondencia.
   3. al practicarlo como una diversión.
   4. mirando y ayudando a sus antepasados.

4. Uno de los problemas de los artesanos se basa en ________
   1. la falta de personas que desean aprender el arte.
   2. la necesidad de ganarse una vida adecuada.
   3. el sindicato nuevo de los artesanos.
   4. la promoción errónea de sus productos.

5. ¿Qué aspecto especial tiene la artesanía? ________
   1. Combina la tradición y el progreso.
   2. Existe dentro de una sociedad moderna.
   3. Se fija en el tema de la magia.
   4. Junta las dos culturas de los países.

3b. Short Passages

Below each of the following selections there is either a question or an incomplete statement. For each, choose the expression that best answers the question or completes the statement *according to the meaning of the selection*, and write its *number* in the space provided.

1 Tiene diecisiete años, estudia preuniversitario, está subscrita a revistas españolas y soviéticas y habla español, ruso e inglés. Le gusta la música, el cine y las fiestas. Desea intercambiar sellos, postales y monedas con personas que tengan los mismos intereses. Ama a España, sus costumbres y su arquitectura. Beatriz López Monzón, Avenida Este Edificio 9, Santo Domingo, República Dominicana.

1. ¿Qué desea Beatriz? ________
   1. Subscribirse a revistas internacionales.
   2. Iniciar correspondencia con personas de otros países.
   3. Aprender a hablar otros idiomas extranjeros.
   4. Conocer mejor la arquitectura española.

2 Si les gustan las plantas, pero no tiene tiempo para cuidarlas, decídase por los cactos y las suculentas. Ambos necesitan mucho sol, pero no requieren ser fertilizados a menudo, ni tampoco mucha agua.

Haga arreglos colocándolos en macetas de diferentes formas y ¡aprenda a disfrutarlos!

2. ¿Quién debe aprovecharse de esta sugerencia? ________

   1. La gente que no sabe cuidar las plantas.
   2. La gente a quien no le gustan las plantas.
   3. La gente a quien le falta tiempo para cuidar las plantas.
   4. La gente que prefiere pasar mucho tiempo al sol.

3 Una compañía italiana ha pedido permiso a la Cruz Roja para reproducir los 120 modelos correspondientes a los 120 uniformes utilizados por esta institución desde 1872. Y así han salido unos preciosos muñequitos que harán las delicias de cualquier coleccionista.

3. ¿Para quiénes es de interés este anuncio? ________

   1. Para los jefes de la Cruz Roja.
   2. Para los que hacen los uniformes.
   3. Para los coleccionistas italianos.
   4. Para los que son aficionados a los muñequitos.

4 Pídalo . . . es gratis. Este folleto tiene la respuesta a su futuro éxito. ¿Siente usted que su trabajo actual lo está llevando a un callejón sin salida? Si existe la más mínima duda acerca de las oportunidades futuras en su vida o su trabajo actual, pida de inmediato nuestro folleto número 234. Conozca el potencial dormido que existe en su propio ser.

4. ¿Para quiénes es este folleto? ________

   1. Para la gente que ha logrado éxito.
   2. Para las personas que desean mejorarse.
   3. Para la gente que ya sabe su futuro.
   4. Para las personas que tienen un futuro dormido.

5 Caracas ha disminuído el número de automóviles particulares que circulan a las horas de mayor tráfico en un veinte por ciento prohibiendo la circulación de cada automóvil un día a la semana. El día que el auto no puede circular está determinado por el número de la placa de matrícula. El nuevo sistema obliga a ahorrar alrededor del dieciséis por ciento del consumo diario de gasolina.

5. ¿Cómo se ha reducido el tráfico en Caracas? ________

   1. Han vedado la circulación de todos los carros particulares durante las horas de mayor tráfico.
   2. Han quitado la placa de matrícula a un veinte por ciento de los carros particulares.
   3. Han limitado a los carros particulares a circular sólo seis días a la semana.
   4. Han aumentado el precio de la gasolina un dieciséis por ciento.

6

6. ¿Quiénes pueden ir a ver esta película? ________

   1. Los mayores de edad.
   2. Los aficionados de las bromas.
   3. Los que no trabajan por la mañana.
   4. Los que estudian los temas misteriosos.

7 Entre los honores que reciben las señoritas que triunfan en la elección anual de Miss Turismo Hispana, U.S.A. y las Embajadoras de Turismo, se encuentran los múltiples viajes que hacen a países hermanos durante su año de representación. Una reciente experiencia fue la encantadora visita a la República Dominicana de la que lleva el título este año.

7. ¿Cuál es uno de los premios que recibe la ganadora del concurso? ________

   1. Viajar a países hispanoamericanos.
   2. Representar a su país natal.
   3. Hacer muchos viajes a la República Dominicana.
   4. Visitar a sus hermanos con frecuencia.

8 Cuando la luz se corta, Altaluz se enciende automáticamente. Luz de emergencia automática e instantánea. Protéjase de los riesgos que genera la obscuridad sorpresiva. La solución más segura, económica, moderna y eficaz. Modelos especiales para pequeños, medianos y grandes espacios.

8. ¿Por qué es importante el producto Altaluz? ________

   1. Asegura que haya luz siempre.
   2. Disminuye el costo de la electricidad.
   3. Ofrece un servicio más económico de luz.
   4. El generador no produce ningún peligro.

9 Hoy la gente que ha sabido lograrlo todo, haciendo que la vida le sonría y que conoce y gusta de lo mejor, sabe por experiencia que en LOS VIOLINES pasa los momentos más gratos, sea platicando con amigos o clientes, con los cuales sus proyectos siempre lleva al triunfo. Indudablemente el aprecio de ellos por LOS VIOLINES es por su excelente gama de vinos y comida internacional, así como por su exclusivo y elegante ambiente tan diferente a todo.

9. ¿Qué es LOS VIOLINES? ________

   1. Un restaurante.
   2. Un centro deportivo.
   3. Una agencia industrial.
   4. Una sala de moda.

10 Una receta un poco cara pero nos hace salir de la rutina. Se supone que la comida es para cuatro personas. Hacen falta 16 langostinos como poco y unos cien gramos de aceitunas. Se pelan los langostinos y se ponen de cuatro en cuatro sobre un trozo de papel aluminio doblado. Se cortan finas las aceitunas, se mezclan con aceite, sal, pimienta, un diente de ajo machacado y dos cucharadas de jugo de limón. Se ponen cuatro cucharadas de esta mezcla en cada ración de langostinos, se cierra bien cada paquete y se mete al horno durante una media hora. Se puede presentar en los mismos paquetitos con adornos de pan tostado.

10. ¿Por qué es interesante esta receta? ________

   1. Es para una familia de ocho personas.
   2. Se hace toda la preparación en la mesa.
   3. Evita el uso de especias en su preparación.
   4. Produce un plato más elegante que lo usual.

11 ¿Una cocina de colores?, ¿por qué no? Hasta ahora los armarios siempre han sido de tonos pálidos, de colores uniformes, para dar más sensación de luz y de limpieza. Pero si la cocina ya tiene suficiente luz y se mantiene siempre limpia, ¿por qué no pintar los armarios de manera divertida?

11. ¿Qué sugerencia es ésta? ________

1. Hay que mantener la limpieza de la cocina.
2. Las cocinas deben pintarse de un solo color.
3. Ahora se puede introducir colores y dibujos en la decoración de la cocina.
4. Los tonos pálidos y uniformes son más adecuados para la decoración de la cocina.

12 No es fácil encontrar hoteles en los meses de verano y mucho menos que sean asequibles. Sin embargo, no hay que renunciar a las vacaciones. La vida al aire libre es lo que dan en los campings y resulta ser más barata. Algunos se lo montan de tienda de campaña y los que tienen más dinero se llevan la casa a cuestas. Por eso ahora podemos ver dos clases de aficionados al camping: los que prefieren lo más rústico y puro de este estilo de vida y otros que buscan algunos lujos aún cuando viven al aire libre.

12. ¿Qué se nota ahora de los campings? ________

1. El precio de las tiendas de camping se ha aumentado.
2. Hay más maneras de llevar a cabo una excursión de camping.
3. Es más difícil encontrar sitios de camping durante todo el año.
4. La vida al aire libre es tan cara como vivir en un hotel.

13 Señor Consumidor—evite los abusos denunciando las irregularidades comerciales tales como la negativa de venta (no hay—no lo tenemos), la alteración de precios (ayer costó diecisiete pesos y hoy tiene el precio de veinte pesos), las condiciones de venta (comprando queso vendemos leche) y el no exhibir ni marcar precios. Al comprar tenga cuidado, conozca el precio autorizado. Para mayor información o para reportar alguna irregularidad llame al 588-2950.

13. ¿Qué advertencia ofrece este mensaje? ________

1. Los compradores deben tener cuidado al llevar las compras a casa.

2. Los compradores deben conocer a los vendedores en las tiendas.
3. Los consumidores deben reportar cualquier irregularidad de compras a las autoridades.
4. Los consumidores deben leer bien todos los anuncios en las tiendas.

14

AUXILIARES DE CONTABILIDAD

Ambos Sexos

— **Edad 22 a 30 años**
— **Escolaridad: Estudiantes de C.P.T.**
— **Experiencia de un año, sin problemas de horario**

SE OFRECE:

- **Atractivo sueldo, seguro de vida y gastos médicos, prestaciones superiores a las de la ley**

Interesados presentarse en: Av. Centenario 412, Col. Azcapotzalco, zona postal 16; con el Lic. GUILLERMO RIVA PALACIO MIER

14. ¿Quiénes deben responder a este anuncio? ________

1. Los que tienen el título de contador.
2. Los que ya tienen experiencia de auxiliar de contabilidad.
3. Los que son mayores de treinta años.
4. Los que necesitan un horario especial.

15 Nunca utilice su estufa de gas para la calefacción. ¡Es peligroso! No lo debe hacer porque se puede formar un gas mortal, el monóxido de carbono; graves quemaduras podrán resultar del contacto con la superficie caliente de una estufa de gas; los incendios pueden comenzar y daños costosos debidos a una estufa sobrecalentada pueden ocurrir a paredes y gabinetes cercanos. Recuerde que las estufas de gas no son calentadores. No ponga en peligro su propia vida y la de su familia.

15. ¿Cuál es el propósito de este anuncio? ________

1. Indicar los peligros que resultan del mal uso de una estufa de gas.
2. Explicar cómo usar una estufa de gas.
3. Explicar qué se debe hacer en caso de una emergencia producida por la estufa de gas.
4. Citar las ventajas de ser dueño de una estufa de gas.

16 ESCORPIÓN: Recibe noticias interesantes, y aflora un amor. Un grupo o alguien en especial apoya sus deseos y proyectos. Las tensiones se aflojan.

16. ¿Qué les espera a los que tienen este signo del horóscopo? ________

1. Un crecimiento de tensiones.
2. La pérdida de un amor.
3. La ayuda de una persona.
4. Unas noticias inquietantes.

17 He venido leyendo su revista desde hace cinco años, estando casada, y ahora que me divorcié me ha interesado mucho más por su contenido. Sin embargo, percibo que desde hace un par de meses la revista ha cambiado: antes la sentía mucho más agresiva, y puedo decirles que (cuando estaba casada) me ayudó a llegar a conclusiones positivas en momentos de crisis. He leído varias otras publicaciones, y creo que la suya podría mejorar su mensaje e imagen para mujeres como yo, con amplio criterio y variado gusto. Me gustaría tanto que trataran temas sicológicos y temas para la mujer profesional.

17. Según la autora de esta carta la revista ________

1. necesita variar los temas de los artículos que publica.
2. apoya el papel de la mujer casada.
3. va a perder su subscripción.
4. sigue siendo la mejor revista para mujeres.

18 El éxito técnico de nuestra aerolínea se debe principalmente a nuestra avanzada forma de pensar en el mantenimiento y organización de nuestra flota de aviones. Puesto que nuestros aviones son nuevos, podemos ofrecerle a usted y a los suyos vuelos limpios, silenciosos y más cómodos. También le ofrecemos un record de puntualidad que no tiene rival en ninguna parte del mundo a la que usted vuele.

18. ¿De qué se jacta esta aerolínea? ________

1. Del empeoramiento de sus aviones.
2. De la belleza de su tripulación.
3. Del servicio esmerado que ofrece.
4. De la superioridad técnica de sus rivales.

19 Parece improbable que un día los argentinos dejen el bife de chorizo por la aceitosa hamburguesa. Sin embargo, es bien cierto que las costumbres en ese sentido ya empezaron a cambiar. Para bien o para mal, los jóvenes, sobre todo, demuestran que ellos no se oponen a aceptar los mandatos de la moda alimenticia. Para muchos, masticar un enorme sandwich lleno de coloridas salsas tiene casi de la aventura y de la improvisación.

19. ¿A qué se deben los cambios en las costumbres de comida argentinas? ________

1. Los jóvenes prefieren unirse a la moda actual.
2. El bife de chorizo es más difícil producir hoy día.
3. Las salsas enriquecen el sabor de la comida.
4. Las reglas alimenticias antiguas carecen de valor ahora.

20 El Servicio Meteorológico Nacional ha informado que en las próximas veinticuatro horas habrá pocos cambios de temperatura, predominando los cielos despejados en el Distrito Federal. En el Valle de México la temperatura máxima será de 25 grados y la mínima de 10. En la costa del Pacífico y Golfo de México, se mantendrán nublados con algunas lluvias; en la zona fronteriza de Sonora habrá vientos moderados del sureste y en el Golfo de México estará caluroso, nublados aislados con algunas lluvias y vientos del sureste.

20. ¿Qué tiempo pronostican para el Distrito Federal? ________

1. Lluvia después de nublados aislados.
2. Un clima muy estable.
3. Una temporada de bastante calor.
4. Vientos fuertes acompañados de lluvia.

3c. Slot Completion

In each of the following passages, there are five blank spaces numbered 1 through 5. Each blank space represents a missing word or expression. For each blank space, four possible completions are provided. Only one of them makes sense *in the context of the passage.*

First, read the passage in its entirety to determine its general meaning. Then read it a second time. For *each* blank space, choose the completion that makes the best sense and write its *number* in the space provided.

1 Se ha dicho que al observar detenidamente a una persona, se puede descubrir muchos detalles de la persona a través de sus movimientos. Es lo que muchos llaman "__(1)__ del cuerpo". Estos son algunos de los movimientos más reveladores: __(2)__ una superficie con la punta de los dedos o mover constantemente un pie indican tensión. Cruzar las piernas constantemente es __(3)__ de ansiedad. Evadir la __(4)__ de la persona con quien se habla revela nerviosismo. Tocarse la nariz con un dedo es signo de que la persona no cree lo que le están diciendo. Saber leer los movimientos de los demás es muy __(5)__ para detectar a las personas sospechosas.

(1) 1 conocimiento
2 descubrimiento
3 lenguaje
4 estado

____

(2) 1 golpear
2 hacer
3 llamar
4 pintar

____

(3) 1 falta
2 señal
3 disfraz
4 ganancia

____

(4) 1 atención
2 palabra
3 mirada
4 atracción

____

(5) 1 probable
2 correcto
3 usual
4 útil

____

2 ¿Oiste las noticias de la tarde? Acaban de __(1)__ uno de los robos más extraordinarios de todos los __(2)__. El robo fue perpetrado en un zoológico de Dinamarca. Varios individuos se llevaron un joven elefante que se llama Sonja. Los __(3)__, que parecen profesionales, hicieron una abertura en un seto y después __(4)__ una puerta y se apoderaron del pequeño elefante. Éste __(5)__ trescientos kilogramos y estaba encerrado junto a dos elefantes adultos.

(1) 1 crear
2 anunciar
3 cobrar
4 jubilar

____

(2) 1 atraques
2 días
3 accidentes
4 tiempos

____

(3) 1 ladrones
2 guardias
3 actores
4 tenderos

____

(4) 1 lavaron
2 pintaron
3 rompieron
4 edificaron

____

(5) 1 comía
2 costaba
3 duraba
4 pesaba

____

3 En la América Latina, más mujeres que hombres se trasladan a las ciudades. Casi el 60 por ciento del total de la __(1)__ femenina vive en zonas urbanas. Muchas mujeres que viven en las ciudades se ganan la vida. Las zonas urbanas brindan oportunidad de __(2)__ y adiestramiento que no existen en zonas __(3)__. Se estima que la participación de las mujeres en la __(4)__ laboral aumenta un 3.8 por ciento al año, mientras la de los hombres un 2.6 por ciento. Lo que ganan las mujeres, ya sea solteras o casadas, con hijos o sin ellos, constituye cada vez una parte más importante de los __(5)__ de la familia.

(1) 1 población
2 tribu
3 universidad
4 sociedad

____

(2) 1 descanso
2 recreo
3 empleo
4 servicio

____

(3) 1 pobladas
2 sofisticadas
3 desarrolladas
4 apartadas

____

(4) 1 liga
2 fuerza
3 tripulación
4 mayoría

____

(5) 1 impuestos
2 beneficios
3 intereses
4 ingresos

____

4 El tren llamado "Alma" debe ser un ejemplo a seguir por todas las naciones del mundo. Es un tren especial que presta __(1)__ médico extraordinario en tierras remotas de la Argentina. Su misión especial es __(2)__ a los niños sin costo alguno.

La idea de un centro médico __(3)__ en un pequeño tren equipado con los aparatos e instrumentos necesarios para toda clase de __(4)__ médicos, incluyendo atención dental, es algo que necesitan urgentemente los niños de todos los países. Los doctores que prestan su servicio voluntariamente no reciben __(5)__ alguna por realizar este gran servicio a la infancia. Son personas de gran corazón y nobles sentimientos humanitarios.

(1) 1 miedo
2 transporte
3 trabajo
4 servicio

____

(2) 1 buscar
2 atender
3 asistir
4 entender

____

(3) 1 ambulante
2 establecido
3 experimental
4 fijo

____

(4) 1 tratados
2 jurados
3 pagos
4 exámenes

____

(5) 1 paga
2 atención
3 ayuda
4 dedicación

____

5 Como usted sabe, el no tener cuidado con el acondicionador de aire puede costarle muy caro. Por eso quisiéramos darle algunos consejos que le ayudarán a __(1)__ energía—y dinero.

Si va a comprar un acondicionador de aire nuevo, tenga la __(2)__ de escoger uno del tamaño adecuado medido en unidades BTU, lo que se calcula tomando en cuenta el espacio que ha de __(3)__ y otros factores. Si el acondicionador no tiene bastante fuerza desperdiciará tanto dinero como uno que sea demasiado potente.

(1) 1 gastar
2 cambiar
3 perder
4 ahorrar

____

(2) 1 seguridad
2 bondad
3 razón
4 prisa

____

(3) 1 pasar
2 enfriar
3 limpiar
4 contemplar

____

Entre más frío funcione su acondicionador de aire, más le costará. Para máxima economía controle el termostato de su aparato para que __(4)__ la temperatura de 78. Para guiarse tendrá que utilizar un termómetro de pared, porque el termostato no siempre está marcado en __(5)__. Si su acondicionador de aire enfría a 72, esos seis puntos menos le aumentan el costo un 63 por ciento más.

(4) 1 gaste
2 acostumbre
3 mantenga
4 desperdicie

______

(5) 1 letras
2 fracciones
3 porcentajes
4 grados

______

6 Sobrevivir en un incendio en el hotel empieza en cuanto Ud. se registra. Cuando llegue a su __(1)__ tome algunos momentos para revisar las posibles rutas de escape. Recuerde que nunca debe usar el __(2)__ en un incendio, pues lo puede llevar a un piso el cual esté lleno de humo o __(3)__. Asegúrese de que las salidas puedan ser usadas. ¿Las puertas se abren? ¿Están las escaleras libres de obstáculos? Debe contar las puertas y algún otro distintivo entre su habitación y las salidas. Si el corredor está obscuro y lleno de humo, usted necesitará saber el camino, puesto que gateará __(4)__ la salida. Si el hotel tiene un sistema de alarma, encuentre el más cercano. Esté seguro de cómo usarlo. Usted puede __(5)__ en la obscuridad o en el denso humo.

(1) 1 despacho
2 casa
3 cuarto
4 tienda

______

(2) 1 teléfono
2 baño
3 televisor
4 ascensor

______

(3) 1 flores
2 mangueras
3 asesinos
4 llamas

______

(4) 1 hacia
2 por
3 atrás de
4 al lado de

______

(5) 1 contarlo
2 activarlo
3 perderlo
4 hallarlo

______

7 A la entrada del puerto de Nueva York hay una isla que fue declarada Monumento Nacional. Esta pequeña extensión de tierra __(1)__ la más impresionante historia de los emigrantes que llegaron a los Estados Unidos

(1) 1 encierra
2 libera
3 agobia
4 promete

______

desde los más __(2)__ países. Por el suelo de esta isla pasaron más de 20 millones de emigrantes que en menos de cincuenta años llegaron en circunstancias dramáticas a los Estados Unidos en busca de pan y libertad. Aunque ya no se usan los edificios de esta isla famosa, y ahora están en estado __(3)__ y decaído, nos sirven para recordar la singular historia de nuestros __(4)__ cuyo esfuerzo y voluntad hicieron posible la __(5)__ de esta nación.

(2) 1 cercanos
2 democráticos
3 remotos
4 libres

______

(3) 1 útil
2 abandonado
3 bello
4 reconstruído

______

(4) 1 antecesores
2 peregrinos
3 marineros
4 misioneros

______

(5) 1 migración
2 caída
3 circunstancia
4 prosperidad

______

8 Por lo general, una mujer pasa largo rato embelleciéndose frente al espejo para obtener los resultados deseados: ser admirada. Sin embargo, en otras ocasiones, perder en esos menesteres valiosos minutos puede __(1)__ una verdadera tragedia. Es lo que le pasó a una pareja que vio frustradas sus intenciones de __(2)__. El cura se molestó hasta la indignación al ver que la novia no __(3)__. Después de diez minutos de tensa __(4)__, el sacerdote se quitó los hábitos y abandonó la iglesia. Cuando llegó la novia, bella y perfumada, encontró a su prometido sumido en una __(5)__ nerviosa. La boda, naturalmente, no se celebró.

(1) 1 causar
2 evitar
3 disimular
4 suspender

______

(2) 1 conocerse
2 escaparse
3 enamorarse
4 casarse

______

(3) 1 salía
2 aparecía
3 lucía
4 tardaba

______

(4) 1 discusión
2 oración
3 espera
4 demora

______

(5) 1 ceremonia
2 fiesta
3 crisis
4 acción

______

9 A mucha gente le gustaría tener un perro. Pero para la gente que vive en la ciudad está el __(1)__ del apartamento, y la vivienda habitual en las metrópolis. No es que el perro destroce el apartamento, sino que el apartamento destroza al perro. No se puede tener a ciertas __(2)__ de perros encerrados todo el día con tres paseitos a la __(3)__ atados con la correa. El hombre tiene que ser también el mejor amigo del perro. Una de las clases de perro que es ideal para vivir en familia, pero __(4)__ el encierro es el Pastor Alemán. Es de tamaño mediano y es un perro completo que puede hacer casi todo. Es excelente lazarillo, bueno para la defensa y rastreo. Además, __(5)__ a todos los climas y circunstancias. Sabe jugar y corretear con los niños. No es un perro de lujo pero nunca pasa de moda.

(1) 1 estado
2 inconveniente
3 lugar
4 respaldo

____

(2) 1 razas
2 hembras
3 funciones
4 delegaciones

____

(3) 1 peluquería
2 escuela
3 corte
4 calle

____

(4) 1 rechaza
2 desespera
3 aguanta
4 equilibra

____

(5) 1 se cuida
2 se adapta
3 se cura
4 se alquila

____

10 Las vacaciones de verano hacen que las personas se sientan deportistas y traten de realizar esfuerzos a que no están acostumbradas durante el resto del año: correr por la playa, nadar demasiado, saltar por las rocas, subir al pico de un monte, etcétera.

La consecuencia de este __(1)__ no habitual es siempre la misma: un violento dolor en la cintura por detrás, casi a la altura de los riñones. Primero se nota un crujido y a las pocas horas __(2)__ las dos piernas o sola-

(1) 1 ejercicio
2 ensayo
3 tratamiento
4 sueño

____

(2) 1 caminan
2 levantan
3 duelen
4 brincan

____

mente una. Lo mismo da porque ya tenemos la temida lumbalgia, ciatalgia, ciática o lumbociática.

Uno se queda medio encorvado, y tratando de que el dolor disminuya se aplica todas las clases de __(3)__ que encontramos en la farmacia hoy en día. Pero el dolor no desaparece. Por último, y en plenas vacaciones, hay que acudir al __(4)__.

En la mayoría de los casos se trata de un simple pinzamiento articular vertebral que se quita con hacer reposo, __(5)__ en cama dura y usar una faja.

(3) 1 telas
2 medicinas
3 leches
4 cajas

____

(4) 1 médico
2 abogado
3 sanitorio
4 campamento

____

(5) 1 bajar
2 gritar
3 dormir
4 dividir

____

11 Queridos amigos,

Acabamos de regresar de una isla encantadora. Este mes nos fuimos a Jamaica. Ya teníamos la __(1)__ de las Bahamas y sabíamos que iba a ser muy divertido. No nos equivocamos.

Al bajar del avión nos recibió David. Trabaja en la Oficina de Turismo e iba a ser nuestro __(2)__. El grupo decidió que como David era tan bueno para esta cuestión de relaciones públicas, que tenía un futuro asegurado.

Visitamos tres ciudades. La gente no puede ser más hospitalaria y __(3)__. Sacamos muchas fotografías y lo mejor fue que pude __(4)__ en este viaje playa, discoteca, lecciones de pesca submarina, botes de vela y clases de baile.

(1) 1 tarifa
2 cuota
3 experiencia
4 quincena

____

(2) 1 portero
2 guía
3 banquero
4 chofer

____

(3) 1 cursi
2 hóstil
3 antipática
4 atenta

____

(4) 1 mezclar
2 comprar
3 sacar
4 renovar

____

___(5)___ que pronto Uds. puedan conocer este lugar divertidísismo.

Saludos.

(5) 1 Repito
2 Espero
3 Pregunto
4 Necesito

______

12 El cliente y el diseñador de ropa están riñendo. Todos los afectados se están culpando mútuamente por el hecho que el negocio de la moda parece haberse paralizado debido a sus ___(1)___ precios. Según las mujeres, hay un punto en que un vestido de precio extravagante simplemente pierde su ___(2)___. Por otra parte, los diseñadores culpan a los costos de ___(3)___ y el elevado costo de la mano de obra con todos los beneficios adicionales que incluye. También culpan a las tiendas que ___(4)___ terribles beneficios al precio mayorista para cubrir los gastos de mantener numerosas sucursales, recobrar pérdidas que tienen con grandes inventarios demasiado tiempo sin renovar sus existencias. Lo que es necesario es ___(5)___ los increíbles precios de la ropa y la resultante paralización en las ventas.

(1) 1 numerosos
2 razonables
3 económicos
4 elevados

______

(2) 1 creativo
2 atractivo
3 originalidad
4 eficacia

______

(3) 1 telas
2 máquinas
3 lonas
4 mercancías

______

(4) 1 quitan
2 juzgan
3 añaden
4 venden

______

(5) 1 analizar
2 controlar
3 estimular
4 adivinar

______

13 Tuvieron que evacuar a unas dos mil familias de sus casas. La ___(1)___ de esta evacuación fue un incendio que ___(2)___ al mediodía en una planta industrializadora de basura. Según los bomberos, tardará por lo menos

(1) 1 falta
2 causa
3 provisión
4 crisis

______

(2) 1 se fijó
2 se cumplió
3 se estableció
4 se inició

______

una semana para que el fuego sea ___(3)___. Solicitaron la intervención de otros cuerpos de bomberos cercanos a la ciudad. Las personas que han sido ___(4)___ fueron trasladadas a los gimnasios y centros de socorro de la ciudad donde ya hay víveres, cobijas y camas provisionales. Existen un mínimo de treinta casos de personas ___(5)___ del humo que han sido internadas en varios hospitales por toda la ciudad.

(3) 1 sofocado
2 encendido
3 alumbrado
4 regado

____

(4) 1 heridas
2 quemadas
3 desalojadas
4 amuebladas

____

(5) 1 quebradas
2 dotadas
3 muertas
4 intoxicadas

____

14 No es una buena idea sobrepasar la velocidad autorizada cuando Ud. está en Cuba. Si usted ___(1)___ con exceso de velocidad en La Habana, es muy probable que un policía de tránsito le apunte con su pistola. Sin embargo, esto no debe ser motivo de mayor ___(2)___ puesto que sólo se dispone a prevenirlo. Los policías de la capital cubana han sido equipados con armas radar, que parecen el resultado de una futurista pistola espacial, capaces de ___(3)___ la velocidad de los automóviles desde una distancia de hasta 600 metros. Al detectar un vehículo que, a su juicio, marcha ___(4)___, el policía le apunta con la pistola y oprime el gatillo. La velocidad aparece en un dial. Han introducido este nuevo método porque el año pasado casi 300 personas en La Habana ___(5)___ a causa de accidentes viales.

(1) 1 monta
2 ejerce
3 practica
4 conduce

____

(2) 1 alarma
2 tristeza
3 cobardía
4 pena

____

(3) 1 traducir
2 medir
3 guiar
4 controlar

____

(4) 1 repentinamente
2 locamente
3 velozmente
4 distraídamente

____

(5) 1 nacieron
2 atravesaron
3 hurtaron
4 fallecieron

____

15 ¡No descuide su salud! ¡Infórmese bien para (1)! ¿Padece Ud. de insomnio? ¿Está tenso y nervioso? ¿Se ha aficionado al licor? ¿Tiene un peso excesivo? ¿(2) a menudo de dolores de cabeza u otras afecciones? ¿Desea conocer los últimos (3) de la medicina y de la cirugía o las nuevas aplicaciones de la sicoterapia? ¿Quiere tener una buena fuente de referencia sobre clínicas, hospitales y otras entidades médicas que, en todas las Américas, podrían prestarle competentes servicios? En "Usted y su Salud", encontrará una excelente ayuda para luchar mejor contra las enfermedades y adoptar hábitos de vida más (4). Se trata de una nueva publicación periódica para Latinoamérica que, basándose en los más recientes adelantos de la Ciencia, le indica en forma clara y sencilla los recursos que ella ofrece para conservar su salud. Es un medio (5) de precio módico que le explica, de modo conciso y siempre actualizado, como cuidar su salud según los sistemas preventivos y terapéuticos más modernos.

(1) 1 sentirla
2 protegerla
3 quitarla
4 esperarla

____

(2) 1 habla
2 goza
3 trata
4 sufre

____

(3) 1 avances
2 fracasos
3 resultados
4 estropeos

____

(4) 1 baratos
2 sanos
3 ligeros
4 serios

____

(5) 1 lucrativo
2 literario
3 informativo
4 homogéneo

____

16 La música puede servir de estimulante y también como un agente depresivo. La música vigorosa puede aumentar la (1) sanguínea y la fortaleza muscular.

Se ha comprobado que al poner música alegre en las (2), aumenta la productividad de los trabajadores y disminuyen los errores que cometen. Esto indica que cuando uno

(1) 1 condición
2 sensitividad
3 estabilidad
4 presión

____

(2) 1 fábricas
2 construcciones
3 escaleras
4 boticas

____

siente que le domina la ___(3)___, una pieza musical llena de vida le resucitará. Y esta curación es mejor que la cafeína. No perjudica el estómago; al contrario, la música viva estimula el ___(4)___ digestivo. La música suave y lenta sirve para relajar a la persona cuando tiene los nervios tensos por cuestión de los ___(5)___ de tránsito, de los aviones o la máquina de podar el césped. Es mucho más saludable disminuir la tensión con este tipo de música que el encerrarse o el tratar de relajarse con tranquilizantes.

(3) 1 nerviosidad
2 fatiga
3 enfermedad
4 demora

____

(4) 1 sistema
2 conducto
3 proceso
4 alimento

____

(5) 1 choques
2 ruidos
3 contratiempos
4 sucesos

____

17 Desde hace varios años hay un nuevo deporte en España que se practica con mucho afán. Es cazar animales con la cámara fotográfica y el ___(1)___ puede practicarlo en nueve reservas nacionales. Por poco más de 17.000 pesetas, se puede hacer una excursión de tres días a Gredos, con ___(2)___ en el Parador Nacional, y puede cazar gamos, aves y otras especies de la ___(3)___ española. Para este deporte-excursión se necesita un equipo fotográfico en condiciones con teleobjetivos cuya distancia focal sea de 200, 300 o 500 milímetros. Fotografiar animales, por otra parte, es como cazarlos, así que tiene que respetar las ___(4)___ de la naturaleza para que no se le escapen, no interferir su habitación natural, acercarse sin que le detecten y tener mucha ___(5)___.

(1) 1 espectador
2 entrenador
3 aficionado
4 árbitro

____

(2) 1 equipo
2 alojamiento
3 estudio
4 transporte

____

(3) 1 reserva
2 población
3 fauna
4 cultura

____

(4) 1 reglas
2 cifras
3 equivocaciones
4 preparaciones

____

(5) 1 lástima
2 paciencia
3 gracia
4 envidia

____

18 ¿Sabía usted que su ambiente afecta sus hábitos alimenticios? Sí, es verdad. Y si usted desea cambiar su manera de comer, es necesario hasta cierto punto __(1)__ lo que le rodea. Éstas son unas sugerencias útiles que le pueden servir bien para adelgazar de una manera sana y cómoda. Primero, debe observar su estilo de alimentación. Tendrá que llevar un diario y __(2)__ en él todo lo que come y a qué hora también. Así se dará cuenta de qué costumbre requiere ser eliminada de su rutina. Segundo, debe imponerse una meta realizable. No puede __(3)__ de peso en un mes o menos sí tiene muchos kilos de sobrepeso. Tercero, hay que cambiar lo que le rodea como los dulces, las galletas o los helados. Cuarto, es preciso introducir nuevos hábitos alimenticios como sustituir la fruta por los postres __(4)__. Quinto, por cada esfuerzo que produzca un resultado positivo Ud. debe darse un __(5)__. Es decir, debe comprarse algo, pero que no sea de comer, para felicitarse por lo que ha logrado.

(1) 1 alborotar
2 embellecer
3 estremecer
4 modificar

____

(2) 1 apuntar
2 probar
3 saber
4 perder

____

(3) 1 tratar
2 dar
3 bajar
4 dejar

____

(4) 1 elegantes
2 engordadores
3 caros
4 ligeros

____

(5) 1 premio
2 agasajo
3 dolor
4 préstamo

____

19 Cada año los españoles consumen más de 75.000 toneladas de caramelos y chicles. Esta cifra hace __(1)__ a los dentistas que últimamente han __(2)__ una campaña destinada a recortar el consumo de dulces de los niños.

(1) 1 divertir
2 enderezar
3 palidecer
4 regocijar

____

(2) 1 lanzado
2 tropezado
3 corrido
4 forzado

____

También quieren llamar la atención del público a las terribles __(3)__ del azúcar en __(4)__ para la buena salud de una __(5)__.

(3) 1 sentencias
2 consecuencias
3 hazañas
4 causas

____

(4) 1 crudo
2 común
3 balde
4 exceso

____

(5) 1 boca
2 dentadura
3 cavidad
4 prótesis

____

20 La tarjeta de visita fue una invención china. Como indica su __(1)__, no fue creada para mandarse por __(2)__ como se practica hoy día para dar gracias o dar un pésame o felicitar. Ahora este sistema parece __(3)__ puesto que muchas buenas costumbres de otras épocas y otro modo de vivir van __(4)__. No obstante, la tarjeta de visita aún existe y es __(5)__ en algunas circunstancias como en las relaciones profesionales, las comerciales y las amistosas.

(1) 1 uso
2 tamaño
3 lugar
4 nombre

____

(2) 1 capricho
2 correo
3 estilo
4 propósito

____

(3) 1 superfluo
2 regio
3 práctico
4 requerido

____

(4) 1 llegando
2 enfocando
3 desapareciendo
4 reponiendo

____

(5) 1 inútil
2 indispensable
3 dudable
4 lujoso

____

Part 4
Writing

Write a well-organized story, letter, or note—as the case may be—in Spanish on one of the topics selected by you or assigned by your teacher from those outlined below in Topic Group A and one from those outlined below in Topic Group B. Follow the specific instructions for each topic you select or are assigned. In the spaces provided, identify the topic by letter and number (for example, A1, B3).

For each topic chosen, write a well-organized composition of at least 10 clauses. A clause must contain a verb, a stated or implied subject, and additional words necessary to convey meaning. The 10 clauses may be contained in fewer than 10 sentences if some of the sentences have more than one clause.

Examples:

One clause:	Llamé a la puerta.
Two clauses:	Llamé a la puerta para preguntar por mi amiga.
Three clauses:	Llamé a la puerta para preguntar por mi amiga que llegaba de su clase de español.

Topic Group A

Write a STORY in Spanish about the situation in each of the pictures in Topic Group A selected by you or assigned to you by your teacher. Follow the general instructions above.

1 ____

____

____

____

____

____

____

____

____

____

____

____

2

3

4

5

6 ____

7

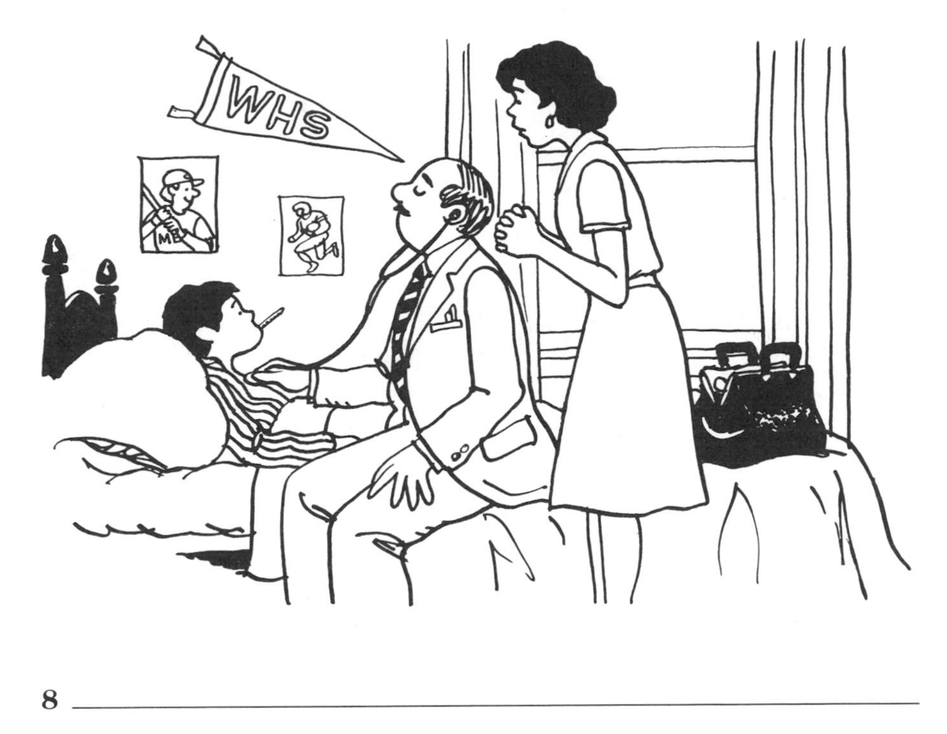

8 ____

9 ____

10

Topic Group B

1 You are planning a trip to Lima during the forthcoming summer. Write a letter in Spanish to a hotel requesting information about its facilities and reservation procedures.

You may use ideas suggested by any or all of the subtopics listed below or you may use your own ideas, provided you accomplish the purpose of the letter, which is *to obtain information on the hotel's facilities and reservation procedures.*

The suggested subtopics are: why you are writing the letter; when you plan to be in Lima; the length of your stay; what facilities the hotel has (restaurants, pool, etc.); the climate; room rates; the hotel's proximity to museums, movies, shopping, etc.; the availability of space in the hotel; the requirement of a deposit; concluding statement.

Use the following:

Dateline: el — de — de 19—
Salutation: Muy señores míos:
Closing: Respetuosamente,

2 You wish to place an ad in a Spanish language magazine for a pen pal. Write a letter in Spanish to the magazine requesting information on placing an ad.

You may use ideas suggested by any or all of the subtopics listed below or you may use your own ideas, provided you accomplish the purpose of the letter, which is *to obtain information on placing an ad.*

The suggested subtopics are: who you are; why you are writing the letter; purpose of ad; number of words in ad; cost of ad; means of payment; date by which ad must be placed; duration of ad; age of magazine's audience; use of magazine's address; concluding statement.

Use the following:

Dateline: el — de — de 19—
Salutation: Muy señores míos:
Closing: Respetuosamente,

____

____

____

____

____

____

____

____

____

____

____

____

____

____

____

3 You are planning to attend the summer session of a study-abroad program in Venezuela. Write a letter in Spanish to the director of the program requesting information concerning the program.

You may use ideas suggested by any or all of the subtopics listed below or you may use your own ideas, provided you accomplish the purpose of the letter, which is *to obtain information about the program.*

The suggested subtopics are: reason for writing the letter; interest in special subjects; dates of the program; cost of the program; requirements for admission; living accommodations; your personal goal; required documents; availability of catalogues; concluding statement.

Use the following:

Dateline: el — de — de 19—
Salutation: Muy señores míos:
Closing: Respetuosamente,

____

____

____

____

____

____

____

____

____

____

____

____

____

____

____

4 You have read an announcement in the local newspaper that *La Tuna de Salamanca* will visit and perform in your city shortly. Write a letter in Spanish to the sponsor of the visit for information.

You may use ideas suggested by any or all of the subtopics listed below or you may use your own ideas, provided you accomplish the purpose of the letter, which is *to obtain information about the visit.*

The suggested subtopics are: why you are writing; dates of the visit; possibility of special performance; location of performances; cost of tickets; availability of discount for students; background information about the group; availability of their recordings; possibility of meeting them; concluding statement.

Use the following:

Dateline: el — de — de 19—
Salutation: Muy señor mío:
Closing: Atentamente,

____

____

____

____

____

____

____

____

____

____

____

____

____

____

____

5 You are preparing a report on recreational activities in Mexico for your Spanish class. Write a letter in Spanish to the Mexican National Tourist Office requesting information on this topic.

You may use ideas suggested by any or all of the subtopics listed below or you may use your own ideas, provided you accomplish the purpose of the letter, which is *to obtain information about recreational activities in Mexico.*

The suggested subtopics are: background information about your class; reason for the letter; why you chose the topic; how you will present the report; which recreational activities are popular; specific age group in which you are interested; popular geographical areas for recreational activities; reason for their popularity; reference material available; availability of pictures; concluding statement.

Use the following:

Dateline: el — de — de 19—
Salutation: Muy señores míos:
Closing: Atentamente,

____

____

____

____

____

____

____

____

____

____

____

____

____

____

6 You are on vacation with some friends in Santiago de Chile and are planning to go skiing with your friends in a few weeks. Write a note to your parents urging them to allow you to go on this ski trip.

You may use the ideas suggested by any or all of the subtopics listed below or you may use your own ideas, provided you accomplish the purpose of the note, which is *to convince your parents to allow you to go skiing with your friends this weekend.*

The suggested subtopics are: the purpose of your note; where you want to go; when; with whom; how you will get there; where you will stay; the cost; how you will pay for it; when you will return; your expectations.

Use the following:

Dateline: el — de — de 19—
Salutation: Queridos papá y mamá,
Closing: Su hijo/hija,

7 The Spanish Club of your school of which you are president is planning an activity (concert, cake sale, etc.). Write a note in Spanish to the students of Spanish in your school in which you urge them to support the activity that will be sponsored by the Spanish Club.

You may use ideas suggested by any or all of the subtopics listed below or you may use your own ideas, provided you accomplish the purpose of the letter, which is *to convince the students to support this activity of the Spanish Club.*

The suggested subtopics are: why you are writing this note; the nature of the activity planned; when (day, date, time) and where it will take place; the cost to the students; how the profits from this activity will be used; what they can do to make the activity a success; your expectations.

Note: Fewer than 10 subtopics are provided. Some of the subtopics lend themselves to more than one clause.

Use the following:

Dateline: el — de — de 19—
Salutation: Queridos amigos,
Closing: Su amigo/amiga,

____

____

____

____

____

____

____

____

____

____

____

____

____

8 You are planning a vacation trip and would like a friend to accompany you. Write a note in Spanish to a friend urging him/her to join you on this trip.

You may use ideas suggested by any or all of the subtopics listed below or you may use your own ideas, provided you accomplish the purpose of the note, which is *to convince your friend to accompany you on a vacation trip you are planning.*

The suggested subtopics are: the purpose of your note; the destination of the trip; when you will leave; how you will travel; the length of the trip; places you will visit; why you chose this destination; other activities during trip; why he/she should accompany you; your expectations.

Use the following:

Dateline: el — de — de 19—
Salutation: Querido(a) ________,
Closing: Tu amigo/amiga,

____

____

____

____

____

____

____

____

____

____

____

____

____

____

9 You wish to see a new course introduced in Spanish. Write a letter in Spanish to the principal of your high school urging him/her to introduce this new course.

You may use ideas suggested by any or all of the subtopics listed below or you may use your own ideas, provided you accomplish the purpose of the letter which is *to convince the principal to offer the new course in Spanish that you are suggesting.*

After you have provided sufficient background information (who you are, what you want), you may want to include these suggested topics: the course you wish introduced; justification for this course; which students would take it; number of students desiring such a course; the credit for the course; benefits to be derived from the course; who might teach this course; when it should be introduced; your expectations.

Use the following:

Dateline: el — de — de 19—
Salutation: Estimado(a) señor(a) director(a):
Closing: Respetuosamente,

10 You want a traffic light installed at an intersection near school. Write a letter in Spanish to the mayor of your city in which you urge him/her to have a traffic light installed at this intersection.

You may use ideas suggested by any or all of the subtopics listed below or you may use your own ideas, provided you accomplish the purpose of the letter, which is *to convince the mayor to have a traffic light installed.*

The suggested subtopics are: reason for your letter; what is needed; its location; reasons to justify its installation; previous events at this intersection; benefits from its installation; whom it will affect; how the mayor can help; your expectations.

Note: Fewer than 10 subtopics are provided. Some of the subtopics lend themselves to more than one clause.

Use the following:

Dateline: el — de — de 19—
Salutation: Distinguido(a) señor(a) alcalde;
Closing: Respetuosamente,

____

____

____

____

____

____

____

____

____

____

____

____

____

____

Vocabulary

This vocabulary is intended to be complete for the purposes of this book. Omitted are fundamental and structural Spanish words (articles, pronouns, numerals, prepositions, conjunctions, and the like), cognates whose meanings can be inferred from forms and contexts, and words normally learned in introductory Spanish courses.

A

abandonar to leave
abastecimiento *m.* supply, provision
abrazo *m.* embrace, hug
abrigo *m.* overcoat
acabar to finish, end; **acabar de** to have just
aceite *m.* oil
aceituna *f.* olive
acercarse a to approach, get nearer
acomodo *m.* employment
aconsejar to advise
acontecimiento *m.* event
acudir to go or come to
acuerdo *m.* accord, agreement, understanding; **de acuerdo a** in agreement with
adecuado adequate
adelanto *m.* advance, progress
adelgazar to make thin or slender
además besides; **además de** in addition to, besides
adiestramiento *m.* training
adivinar to guess
aduana *f.* customs
aduanero *m.* customs agent
advertencia *f.* warning
advertir to notice, observe
afán *m.* eagerness, zeal
aficionado *m.* fan, devotee
aflojarse to become relaxed
aflorar to flower, blossom, bloom
agasajar to entertain, fete, feast
agasajo *m.* kindness, attention
agobiar to overburden, exhaust
agotar to exhaust, use up
agregar to add
aguacero *m.* shower
aguinaldo *m.* Christmas gift, bonus
ahogar to drown
ahorrar to save
aislado isolated, separated
alborotar to agitate, stir up
alcanzar to reach, get, obtain
aldea *f.* village
alguno some
alimenticio (*pertaining to*) food
alimiento *m.* food
alojamiento *m.* lodging
alquilar to rent
alrededor de around
alteración *f.* change
alumbrar to light, illuminate
ama *f.* mistress/lady of the house; **ama de casa** housewife
ambiente *m.* atmosphere, setting, environment
ambos both
ambulante ambulatory
amenazar to threaten
amistoso friendly
ampliar to enlarge, extend

amueblado furnished
analfabeto illiterate
anhelar to desire, to long for
ansiedad *f.* anxiety
antecesor *m.* ancestor
antepasado *m.* ancestor, forefather
antigüedad *f.* antique
antipático unpleasant
anulado annulled, voided
anunciar to announce
anuncio *m.* announcement
añadir to add
apagar to shut off, extinguish
apagón *m.* blackout
apartado separated
apartar to separate, divide
apertura *f.* opening
apoderarse de to seize, take possession of
apoyo *m.* support
aprobación *f.* approval
aprovecharse de to take advantage of
apuntar to point
árbitro *m.* referee, umpire
armario *m.* closet, cabinet
arraigarse to take root
arreglo *m.* arrangement
artesanía *f.* craftsmanship
artesano *m.* artisan, craftsman
asado roasted
ascensor *m.* elevator
asegurado assured
aseguradora insuring; **compañía aseguradora** *f.* insurance company
asegurarse to assure oneself
aseo *m.* cleanliness
asequible accessible, available
asistir to attend
asustar to frighten
atado tied
atajo *m.* short cut
atender to attend to, take care of
aterrizar to land
atrás de behind
atravesar to cross
aula *f.* classroom
aumentar to increase
aún yet, still
aunque although
autónomo autonomous, autonomic
auxilio *m.* help, aid
ave *f.* bird
ayuda *f.* help
azar *m.* chance
azúcar *m.* sugar

B

bajarse de peso to reduce, to lose weight
balde: en balde in vain, for nothing
barato inexpensive, cheap
basura *f.* garbage
bello beautiful
bienvenida *f.* welcome
boca *f.* mouth
bochornoso hot, sultry
boda *f.* wedding
bolsillo *m.* pocket
bombardeo *m.* bombing
bombero *m.* fireman
bombilla *f.* light bulb
bombona *f.* tank
bondad *f.* kindness
borde *m.* border, edge; **al borde de** on the verge of
borracho drunk, drunken
botica *f.* drugstore
brindar to toast; to offer
brisa *f.* breeze
broma *f.* joke
brote *m.* outbreak, appearance
bulto *m.* package
busca *f.* search; **en busca de** in search of

C

caber to fit
cabo *m.* end; **llevar a cabo** to carry out
cacahuate *m.* peanut
cadena *f.* chain
caída *f.* fall
cajero *m.* cashier
calefacción *f.* heat
calentura *f.* fever, temperature
calidad *f.* quality

cálido warm
calificación *f.* grade, mark
calzado *m.* footwear, shoes
callarse to be silent
callejero (*pertaining to the*) street
callejón *m.* lane, alley
cámara *f.* chamber; camera
camarero *m.* waiter
cambiar to change
camino *m.* path, road
campaña *f.* campaign
campeonato *m.* championship
campestre rural, country
capacidad *f.* ability
capricho *m.* whim
caramelo *m.* candy
cárcel *f.* jail, prison
carecer de to lack
cargar to load
carrera *f.* race; career, profession
cartera *f.* wallet, purse
cartero *m.* mailman
casado married
casarse to marry
casero house, domestic
casi almost
castigar to punish
cazar to hunt
celda *f.* cell
celos *m.* jealousy
centenar *m.* hundred
cepillo *m.* brush
cercano near, close
certeza *f.* certainty
césped *m.* grass
ciento one hundred; **por ciento** percent
cifra *f.* figure, number
cintura *f.* waist
cirugía *f.* surgery
ciudad *f.* city
clase *f.* kind
clausurar to close
cobija *f.* blanket
cobrar to charge
cocer to cook
cocido *m.* stew
cocina *f.* kitchen
cocinar to cook
cola *f.* tail
colocar to place
comestible eatable
cometer to commit
comodidad *f.* comfort, convenience
cómodo comfortable, convenient
comprobar to prove
compromiso *m.* commitment, engagement
concurso *m.* competition, contest
conducir to drive
congelado frozen
congreso *m.* meeting, convention
conocimiento *m.* knowledge, understanding
conseguir to obtain, attain, get
consejero *m.* adviser, counselor
contabilidad *f.* accounting
contar to count
contemplar to contemplate
contratiempo *m.* misfortune, disappointment, setback
convenio *m.* agreement, pact
convocar to convene, summon
corazón *m.* heart
correa *f.* leash
corredor *m.* corridor
correo *m.* mail
correr to run
corretear to harass, pursue
corriente *f.* current, stream
corte *f.* court
cosecha *f.* harvest
costar to cost
costumbre *f.* custom, habit
crear to create
creciente growing
crecimiento *m.* growth
creer to believe
crujido *m.* creak
cruzar to cross
cuarto *m.* room
cubrir to cover
cucharada *f.* tablespoonful
cuenta *f.* account
cuerpo *m.* body
cuesta *f.* slope; **a cuestas** on one's back or shoulders
cuidadoso careful
cuidar to care for
culpable *m.* culprit, the guilty one
culpar to blame
cumpleaños *m. pl.* birthday

cumplir to accomplish, perform, fulfill
cura *m.* priest, minister
cursi cheap, flashy, vulgar

Ch

chapa *f.* lock
chocar to crash
choque *m.* crash, collision; shock

D

daño *m.* harm, damage, injury
dar to give; **dar a luz** to give birth; **dar gracias** to thank; **dar un pésame** to present one's condolences; **darse cuenta de** to realize, to become aware of
deber to owe; must
debido a due to
dedo *m.* finger
dejar to leave
delegación *f.* police station
deleite *m.* delight
delicia *f.* delight
delito *m.* offense, crime
demás other
demasiado too much
demora *f.* delay
dentadura *f.* denture, set of teeth
dependiente *m.* salesperson
deporte *m.* sport
deportista *m.* sportsman
derecho *m.* right
derroche *m.* waste, extravagance
desafío *m.* challenge
desahogar to relieve one's feelings
desalojado evicted, ousted, dislodged
desaparecer to disappear
desarrollado developed
desarrollo *m.* development, growth, increase
desborde *m.* overflow
descanso *m.* rest
desconocer to ignore, slight
descubrir to discover
descuento *m.* discount
deslizar to slide, glide, skid
desolación *f.* desolation, grief
desolador desolating, grieving
despacho *m.* office
despedida *f.* farewell
despegar to take off
despegue *m.* take-off
despejado clear, cloudless
despenalizar to legalize
desperdiciar to waste, squander
después then, later
destacado outstanding, distinguished
destinatorio *m.* addressee
destrozar to destroy
detalle *m.* detail
detectar to detect
detenidamente carefully, thoroughly
detrás behind
devolver to return, give back
diario *m.* newspaper
dichoso happy, fortunate, lucky
difusión *f.* broadcasting
Dinamarca Denmark
dirigir to direct
diseñado designed, drawn
diseñador *m.* designer
diseño *m.* design
disfraz *m.* disguise
disfrutar to enjoy, possess, have the use or benefit of
disimular to hide, conceal
disminuir to decrease
disponer de to have
disponibilidad *f.* availability
distintivo *m.* distinction
divertido enjoyable
dolor *m.* pain
domicilio *m.* home, house
donativo *m.* donation
dotado gifted
dueño *m.* owner
dulces *m.* sweets, candy
durar to last, endure
duro hard

E

echar to throw; **echar de menos** to miss
edad *f.* age
edificar to build
edificio *m.* building
eficaz efficient
ejecutar to perform, carry out
ejecutivo *m.* executive
elegir to elect
embajador *m.* ambassador
embellecer to make beautiful
embriaguez *f.* intoxication, drunkenness
emigrante *m.* immigrant
emisión *f.* broadcast
emisora *f.* radio station
empanada *f.* pie
empeoramiento *m.* worsening, deterioration
empezar to begin
empleado *m.* employee
empleo *m.* employment
empresa *f.* enterprise, firm, company
empresario *m.* businessman
enamoramiento *m.* love, infatuation
enamorarse (de) to fall in love (with)
encantador enchanting
encarcelar to imprison
encargarse de to take charge of
encendedor *m.* lighter
encender to light
encerrar to lock in
encía *f.* gum
encierro *m.* confinement
encima de on, upon
encontrar to find
encorvado bent over
encuesta *f.* survey
enderezar to stand up, to straighten
enfermedad *f.* sickness
enfermera *f.* nurse
enfrentarse to face, oppose, confront
enfriar to cool, chill
engordador fattening
enojar to anger
enriquecerse to become rich
ensayo *m.* essay
enseñanza *f.* teaching, instruction, education
entender to understand
entidad *f.* entity
entrada *f.* entrance fee, ticket
entregar to deliver
entrenador *m.* trainer
entretener to entertain
entrevistar to interview
envidia *f.* envy
equilibrar to balance, equalize
equivocación *f.* mistake; **por equivocación** by mistake
equivocarse to be mistaken
escalar to climb
escalera *f.* staircase
escaparate *m.* show window
escaparse to escape, run away; to elope
escasez *f.* scarcity, dearth, shortness
escaso scarce
escenario *m.* setting; stage
escoger to choose
esfuerzo *m.* effort
esmerado careful
espectáculo *m.* show
espejo *m.* mirror
espera *f.* wait
establecido established
estación *f.* season
estacionar to park
estadio *m.* stadium
estimar to estimate
estrago *m.* ruin, ravage
estremecer to shake
estropeo *m.* ruin, damage
estufa *f.* stove
etapa *f.* stage (*of development, process, etc.*)
evadir to evade
exigencia *f.* demand, requirement
exigir to demand
existencia *f.* stock
éxito *m.* success

extranjero *m.* foreigner
extraño strange
extraordinario extraordinary; **horas extraordinarias** *f. pl.* overtime

F

fábrica *f.* factory
fabricado manufactured
fabricar to manufacture
faja *f.* girdle, corset
fallecer to die
falta *f.* lack
faltante *m.* shortage
fauna *f.* fauna
fe *f.* faith
felicitación *f.* congratulation
felicitar to congratulate
fielmente faithfully
fijo fixed
flor *f.* flower
florecer to flourish, prosper
foro *m.* stage
fortaleza *f.* fortitude, strength
forzar to force
fracasar to fail, be unsuccessful
fracaso *m.* failure
freno *m.* restraint
frente a in front of
frontera *f.* border
fuego *m.* fire
fuente *f.* source
fuera out, outside; **fuera de** out of, outside of, away from
fuerza *f.* strength

G

gabinete *m.* room
galleta *f.* cookie
gama *f.* gamut
gamo *m.* deer
ganancia *f.* gain
ganar to earn, win; **ganarse la vida** to earn a living
ganga *f.* bargain
gastar to spend
gatear to crawl
gatillo *m.* trigger
gente *f.* people
gerente *m.* manager
girar to rotate, spin
golpear to hit
gozar de to enjoy
grabar to record
gracia *f.* grace, charm
grado *m.* degree
granja *f.* farm
guardia *m.* guard
guerra *f.* war
guerrero *m.* soldier
guiar to drive

H

habilidad *f.* ability
habitación *f.* room
hacer to make; to do
hacia toward
hazaña *f.* deed
helado *m.* ice cream
hembra *f.* female
herido injured
hijo *m.* son
hilo *m.* thread
hogar *m.* home
hombre *m.* man
homenaje *m.* homage, tribute, attention
honradez *f.* honesty
horario *m.* schedule
horno *m.* oven
horquilla *f.* hairpin
hospedarse to lodge (in)
hoy today; **hoy en día** nowadays
huelga *f.* strike
huésped *m.* guest
humo *m.* smoke
hurtar to rob

I

iglesia *f.* church
ileso unhurt
ilustre distinguished, illustrious
imprimir to print
imputado ascribed

incapaz incapable
incendio *m.* fire
incremento *m.* increase
incumplimiento *m.* unfulfillment, breach
indígena native, indigenous
infraccionar to fine, give a summons
ingeniería *f.* engineering
ingeniero *m.* engineer
ingresos *m. pl.* income, revenue
inicio *m.* beginning
insospechado unsuspected
intoxicación *f.* poisoning
intoxicado poisoned
intruso *m.* intruder
inundación *f.* flood
invernal wintry, winter
invertir to spend, invest
isla *f.* island

J

jactarse to boast
jaula *f.* cage
jefe *m.* boss, chief
joya *f.* jewel, piece of jewelry
jubilar to retire
judía verde *f.* string bean
jugada *f.* play
jugador *m.* player
jugo *m.* juice
juicio *m.* judgment
juntar to join, bring together
juntos together
jurado *m.* jury
juzgar to judge

L

labio *m.* lip
lado *m.* side; **al lado de** beside
ladrón *m.* thief
lago *m.* lake
lancha *f.* boat
langostino *m.* prawn
lanzamiento *m.* jump
lanzar to throw, hurl
largo long
lástima *f.* pity
lavar to wash
lazarillo *m.* blind man's guide
leer to read
lejano distant
lema *m.* slogan, motto
lenguaje *m.* language
letrero *m.* sign
liberar to free, liberate
libre free
liga *f.* relationship
ligero light
limpiar to clean
limpieza *f.* cleanliness
localidad *f.* place, village, town
lograr to get, acquire, attain; to succeed in
lona *f.* canvas
lucirse to dress to advantage, to show off
luchar to fight
lugar *m.* place; **tener lugar** to take place
luz *f.* light

Ll

llama *f.* flame
llamar to call; **llamarse** to be called
llave *f.* key
llegar to arrive
llenar to fill (out)
llevarse to carry or take away
llover to rain
lluvia *f.* rain, shower

M

maceta *f.* flowerpot
machacado crushed, mashed
maíz *m.* corn
maleta *f.* suitcase
mancomunado joint, combined
mandar to order, to send
mandato *m.* command, order
manejada *f.* drive
manera *f.* manner, way, mode
manguera *f.* hose
mano *f.* hand; **mano de obra** work, labor

mantener to maintain
mantenimiento *m.* maintenance
manto *m.* mantle, robe
máquina *f.* machine
mar *m.* sea
marchar to go
masajear to massage
masticar to chew
mayor older
mayoría *f.* majority
mayorista *m.* wholesaler
medida *f.* measure, measurement
medido measured
medio *m.* means
medir to measure
mejoramiento *m.* improvement
mejorar to improve
menester *m.* need; want; **es menester** it is necessary
menos less
menudo small, little; **a menudo** often
mercado *m.* market
mercancía *f.* merchandise
merecer to deserve
mesero *m.* waiter
meta *f.* goal
mezcla *f.* mixture
mientras while
mirada *f.* look
mismo same; **sí mismo** one's self
mitad *f.* half
modo *m.* manner
molestarse to become annoyed
moneda *f.* coin
montaje *m.* assembling, setting up
montarse to assemble
morir to die
muerte *f.* death
mujer *f.* woman
mundial world
mundo *m.* world
muñequito *m.* small doll

N

nacer to be born
nariz *f.* nose
natal native
natalicio *m.* birthday
naturaleza *f.* nature
nave *f.* ship
negar to deny, refuse
nieto *m.* grandson
nivel *m.* level
nombre *m.* name
noticia *f.* news
novedad *f.* novelty
novedoso novel
novia *f.* girl friend, bride
nublado cloudy

O

obra *f.* work
obrero *m.* worker
obscuridad *f.* darkness
obscuro dark
obsequio *m.* gift
obstante: no obstante nevertheless; notwithstanding
odio *m.* hate
oficio *m.* work, trade, craft
ola *f.* wave
olla *f.* pot
oprimir to squeeze, pull
oración *f.* prayer
orgulloso proud
oso *m.* bear
otorgar to award

P

padecer (de) to suffer from
paga *f.* pay, payment; wages
pago *m.* payment
país *m.* country
pájaro *m.* bird
palabra *f.* word
palidecer to become pale
palmera *f.* palm tree
pan *m.* bread
pantalla *f.* screen
papa *f.* potato
paracaídas *m.* parachute
parecer to seem, appear
pared *f.* wall
pareja *f.* pair, couple
pariente *m.* relative

párrafo *m.* paragraph
partidario *m.* supporter, advocate
partido *m.* game
pasajero passing, transient
pasearse to take a walk, to walk about
paseo *m.* stroll, drive, trip
pastor alemán *m.* German shepherd
patinar to skate
pavor *m.* fright, terror
pedazo *m.* piece
pedido *m.* order
peinado *m.* hairdressing, hairdo
pelar to peel
película *f.* film
peligro *m.* danger
peligroso dangerous
peluquería *f.* hairdresser's shop
peluquero *m.* hairdresser
pena *f.* penalty, punishment; pain, grief; trouble
pensador *m.* thinker
perder to lose
pérdida *f.* loss
perdurar to last, endure
peregrinaje *m.* pilgrimage
peregrino *m.* pilgrim
periodista *m.* newspaper reporter
perjudicar to hurt, damage, injure
permiso *m.* permission; **pedir permiso** to ask for permission
perpetrado perpetrated
perturbado disturbed
pesar *m.* sorrow, grief; **a pesar de** in spite of
pesca *f.* fishing; catch
peso *m.* weight
pico *m.* peak
pie *m.* foot
pierna *f.* leg
pintar to paint
pintor *m.* painter
pintoresco picturesque
pintura *f.* painting
piscina *f.* swimming pool
piso *m.* floor
pista *f.* ring; runway
placa *f.* plaque; **placa de matrícula** license plate
platicar to chat, talk, converse
playa *f.* beach
plaza *f.* place
pleno full; **en pleno** in the middle of
población *f.* population
poblado inhabited; populated
poblarse to become peopled; to become populated
podar to prune
poner to put; **poner en marcha** to put into operation
ponerse to put on; to become
porcentaje *m.* percentage
portavoz *m.* spokesman
portero *m.* doorman, porter
porvenir *m.* future
poseer to possess
postre *m.* dessert
precio *m.* price
predilecto favorite
premio *m.* prize; **premio gordo** first prize
prensa *f.* press
preocuparse (de) to worry (about)
presenciar to see, be present at
preso *m.* prisoner, convict
prestación *f.* lending
préstamo *m.* loan
prestar to lend, loan
prevenir to warn
previsión *f.* foresight
prisa *f.* haste, hurry; **tener prisa** to be in a hurry
procedente (de) coming, proceeding (from)
promedio *m.* average
prometedor promising
prometer to promise
prometido *m.* fiance
promover to promote
pronosticar to predict
pronóstico *m.* prediction; prognosis
propiciar to propitiate
proporcionar to furnish, give
propósito *m.* purpose, intention, aim
proteger to protect

proveer to provide
prueba *f.* test; proof, evidence
pueblo *m.* town
puerto *m.* port
puesto *m.* position, office, job; stand
pulido polished
pulsera *f.* bracelet
punta *f.* point

Q

quebrado broken
quedar to remain, stay
quehacer *m.* work, task, chore
queja *f.* complaint
quejarse (de) to complain (about)
quemado burned
quemadura *f.* burn
querido dear
quilate *m.* carat
químico *m.* chemical
quincena *f.* two weeks, fortnight
quitar to remove; **quitarse** to take off
quizás perhaps

R

rastreo *m.* trail, drag
rato *m.* time, short time, while
raza *f.* race; breed
razón *f.* reason; **tener razón** to be right
realizar to fulfill
rebajado reduced, lowered
receta *f.* recipe
recluso *m.* prisoner
recobrar to recover
recordar to remember
recortar to reduce
recurso *m.* resource
rechazar to reject
redactor *m.* editor
refrán *m.* saying, adage, proverb
regador *m.* waterer
regalo *m.* gift, present
regar to water
regio regal, magnificent
regla *f.* rule
reglamentario prescribed by
regocijar to rejoice
rehusar to refuse
reinar to reign
relajarse to relax
relámpago *m.* lightning
relleno filled
rendimiento *m.* profit
renovar to renew
reñir to quarrel
repentinamente suddenly
repleto full
reposo *m.* rest
resolver to resolve
respaldo *m.* back; backing; endorsement
restos *m. pl.* remains
resucitar to revive, resurrect
retornar to return
retraso *m.* delay
reunirse (con) to meet
revelador revealing
revisar to review
riesgo *m.* risk
riñón *m.* kidney
risa *f.* laugh
robo *m.* robbery
rodar to roll; **rodar una película** to make a film
rodeado surrounded
rodear to surround
romper to break
ropa *f.* clothing
roto broken
ruido *m.* noise

S

saber to know
sabor *m.* flavor
sacar to take out; **sacar fotografías** to take pictures
sacerdote *m.* priest, minister
salida *f.* exit
saltar to jump
salto *m.* jump
salud *f.* health
salvaje savage
sano healthy

sed *f.* thirst; **tener sed** to be thirsty
seguida consecutive; **en seguida** immediately
seguir to follow
según according to
sello *m.* stamp
semáforo *m.* traffic light
semejante similar
sencillo simple
sentido *m.* sense
sentirse to feel
señal *f.* signal, sign
señalar to indicate
sequía *f.* drought
servir to serve
seto *m.* fence
siglo *m.* century
siguiente following
sin without; **sin embargo** nevertheless
sindicato *m.* union
sinnúmero *m.* great number, no end
sobrepasar to exceed
sobrepeso *m.* overweight
sobresalir to excel
sobrevivir to survive
sociedad *f.* society
socorro *m.* help, aid
soleado exposed to the sun
soler to be accustomed to
solicitar to ask for, petition
solicitud *f.* request, application
soltar to let go
soltero *m.* single person
sombra *f.* shade
sonar to sound, ring
sonreírse to smile
soñar (con) to dream (about)
sorpresa *f.* surprise
sosiego *m.* peace, tranquillity
sospechoso suspicious
sublevación *f.* insurrection, revolt
suceso *m.* event, happening, occurrence
sucursal *f.* branch
sueldo *m.* salary
suelo *m.* ground
suerte *f.* luck, fortune
sugerencia *f.* suggestion
sugerir to suggest
superar to surpass
superficie *f.* surface
surgir to come forth, arise

T

tablao *m.* platform; theater
talla *f.* size
tamaño *m.* size
tanto as much, so much
taquilla *f.* box office
tardar to take a long time in doing something; to be slow
tarifa *f.* price, rate, fare
tarjeta *f.* card; **tarjeta de crédito** credit card; **tarjeta de visita** calling card
tela *f.* fabric, material
tema *m.* theme
temer to fear
temido feared
temporada *f.* period of time; season
tendero *m.* shopkeeper
tienda *f.* store; tent; **tienda de campaña** tent
tierra *f.* land
tintorería *f.* cleaning store
tirar to knock down, overthrow
tocar to play; to touch
tonelada *f.* ton
toque *m.* touch
trabajador *m.* worker
trabajo *m.* work
trámite *m.* step, procedure
transcurrido passed, gone by
tránsito *m.* traffic
trasladado moved
trasladarse to move
traspaso *m.* transfer
tratado *m.* treaty, agreement
tratar to treat, use; **tratar de** to try to
tren *m.* train
trineo *m.* sleigh, sled
tripulación *f.* crew
tropezar to strike, knock
trozo *m.* selection; piece

U

unidad *f.* unit
usuario *m.* user
útil useful
utilizado used
utilizar to use, utilize

V

valioso valuable
vapor *m.* vapor, steam
vecino *m.* neighbor
vedar to prohibit
vela *f.* sail; **botes de vela** sailboats
velocidad *f.* speed
venta *f.* sale
ventaja *f.* advantage
venturoso happy, lucky, fortunate
verdadero true; real, genuine
vespertino evening
vestido *m.* dress
vía *f.* path, road
viajero *m.* traveler
vicio *m.* vice
virado overturned
víveres *m.* food, provisions
vivienda *f.* dwelling, house
vivo alive
voluntad *f.* will
voto *m.* vow, wish
voz *f.* voice
vuelo *m.* flight

Z

zoológico *m.* zoo